우리 산에서 만나는 풀 200가지

국립수목원 지음

GEOBOOK 지오북

우리 산에서 만나는
풀 200 가지

발간사*

우리나라에 자생하고 있는 관속식물의 수는 4,884종류에 이르며, 이중 75%에 이르는 3,700여 종류가 초본류인 풀입니다. 우리가 숲을 생각하면 울창한 나무의 모습을 떠올리지만, 숲의 하층에는 수많은 풀들이 자라고 있으며, 이들이 어우러져 아름답고 건강한 숲을 이루게 됩니다. 그렇기 때문에 우리가 조금만 관심을 가지면 산에서 이른 봄부터 늦가을까지 지천으로 풀들을 만날 수 있습니다.

풀은 나무와 달리 줄기가 부피 성장을 하지 않고 1년 안에 형성층의 기능이 정지되어 고사하는 특징을 지니고 있고, 산림생태계에서 유기물의 생산자로서의 중요한 역할을 합니다. 꽃이 아름다워 관상용으로 이용되는 풀들도 있고 혹은 산나물이나 약초로 이용이 가능한 풀들과 괭이사초, 강아지풀과 같은 사초과나 벼과식물처럼 꽃은 화려하지 않아도 도로사면의 흙을 고정하거나, 녹화용으로 중요하게 사용되는 풀들도 있습니다.

꽃이 아름답거나 특별한 용도가 있는 풀들은 때론 많은 이들의 관심 때문에 오히려 훼손을 당하기도 합니다. 복주머니란이나 삼지구엽초 같은 것이 대표적인 예입니다. 때론 이 야생의 풀들은 보다 크고 화려한 크기의 원예종으로 개발되면서 본래종의 단아한 아름다움을 잃기도 하고, 꽃이 아름답지 않은 풀들은 그들의 생태적 가치뿐만 아니라 경제적 가치에 있어

서도 사람들의 관심을 제대로 받지 못해 우리도 모르는 사이 사라져 가기도 합니다.

우리 땅에서 자라는 풀들의 고마움을 알고 잘 보전하기 위해서는 우리는 풀들과 친숙해질 필요가 있습니다. 국립수목원에서는 그동안의 조사 연구를 통해 확보한 자료를 바탕으로 우리 산에서 쉽게 만날 수 있는 우리 풀 200가지를 선정하여 휴대가 간편한 도감으로 제작하였습니다. 이 도감이 우리 풀에 대한 궁금함이 있을 때, 언제 어디서든 길잡이로서의 역할을 다할 수 있기를 기대합니다.

끝으로 이 도감이 만들어지기까지 사진 촬영, 해설원고 작성, 디자인 및 편집과정에서 수고가 많았던 국립수목원 직원 여러분과 지오북 관계자 여러분들께 감사의 마음을 전합니다.

2010년 6월

국립수목원장 김 용 하

차례*

이 책을 * 보는 방법

이 책에는 우리나라 산에서 흔히 볼 수 있거나 좀 귀하지만
보호가 필요한 풀 200가지에 대해서 자세한 설명과 사진을 수록하였으며
비슷한 풀 101가지도 간략하게 정리해 덧붙였다.

잎차례 :

마주나기 어긋나기 돌려나기 마주나기 모여나기 어긋나기 모여나기 모여나기

한잎나기 두잎나기 겹쳐나기 돌려나기 어긋나기 어긋나기 돌려나기

서식지 :

산지 산야 들 계곡 습지 바닷가

생육상 :

한해살이 두해살이 여러해살이

흔히 보는 식물 희귀식물 특산식물

도라지모시대
모시대(모싯대)
124
초롱꽃과
Adenophora remotiflora (Siebold & Zucc.) Miq.
개화기 8~9월(결실기 : 9월) | 분포 전국 깊은 산
산의 숲속에서 자생하는 여러해살이풀로 40~100cm 높이로 자란다. 잎은 어긋나고 달걀형이며 끝이 뾰족하고 밑은 얕은 심장형이며 가장자리에 톱니가 있고, 잎자루가 길고 위로 갈수록 짧아진다. 꽃은 좁은 종 모양으로 보라색이고, 엉성한 원추꽃차례에 아래를 보고 핀다.
비슷한 식물인 도라지모시대(A. grandiflora)는 꽃이 넓은 종 모양이며 길이 4cm이다.
139
여러모습을 담은 생태사진
학명
우리말 이름
실은 순서
과명
생육상
식물의 특징
우리나라 분포지
이름의 유래 비슷한 식물의 특징

우리 풀*200가지

백합과

수선화과

붓꽃과

골풀과

벼과

천남성과

난초과

우리풀*200가지

부처손

001 바위손

|부처손과|

Selaginella tamariscina (P.Beauv.) Spring

개화기 7~9월 | 분포 전국 산지

산지 암벽에 자라는 여러해살이풀이다. 뿌리가 서로 엉켜 헛줄기의 끝에 방사상으로 붙으며 헛줄기는 갈라져 퍼지고, 건조할 때는 안쪽으로 돌돌 말린다. 잎은 달걀형으로 실과 같은 돌기가 있으며, 가장자리에는 잔톱니가 있다. 포자엽은 달걀꼴 삼각형이고 가장자리에 잔톱니가 있으며, 포자낭은 큰 것과 작은 것 두 가지가 있다.

바위손의 원줄기는 뿌리에 엉켜서 기둥같이 생긴 줄기 위에서 모여 나며 건조하면 공처럼 오그라들지만, 부처손(*S. involvens*)의 원줄기는 이끼 틈으로 뻗어가다가 곧추서며 잔가지가 마르면 오그라들면서 바깥쪽의 잎은 톱니가 없고, 주맥이 없거나 희미하다.

쇠뜨기(뱀밥)

002

| 속새과 |

Equisetum arvense L.

개화기 4~6월 | 분포 전국 산야

평지의 양지쪽 습지 또는 건조한 곳에 나는 하록성의 부드러운 여러해살이풀로 땅속줄기가 길게 뻗으며 번식한다. 생식경은 이른봄에 나와서 끝에 뱀대가리 같은 포자낭수를 형성하고 마디에 비늘 같은 잎이 돌려나며 갈색이다. 영양경은 녹색으로 높이는 30~40cm이고 마디에는 가지와 비늘 같은 잎이 돌려난다. 포자낭수는 긴 타원형으로 육각형의 포자잎이 서로 밀착하여 거북등처럼 되어 있다.

소가 잘 뜯어먹어 붙은 이름으로 약으로 이용한다. 비슷한 식물인 속새(*E. hyemale*)는 가지가 없고, 잎집의 길이와 지름이 비슷하며 전체적으로 녹색이다.

개속새

003 속새

| 속새과 |

Equisetum hyemale L.

개화기 4~6월 | 분포 전국 산야 습지

습지에 자생하는 여러해살이풀로 30~60cm 높이로 자란다. 땅속줄기는 옆으로 뻗으며 지면 가까이에서 여러 개로 갈라져 나오고, 가지가 없다. 잎집은 줄기를 둘러싸고 끝만 검은색 또는 갈색이며, 열편은 우중충한 갈색을 띤다. 포자낭이삭은 원줄기 끝에 붙고 원추형이며 끝이 뾰족하게 나오고 처음에는 녹갈색이나 나중에 노란색으로 된다.

비슷한 식물인 개속새(*E. ramosissimum*)는 적어도 밑부분에는 가지가 있고 잎집은 길이가 지름보다 훨씬 길다.

고비(가는고비)

004

| 고비과 |

Osmunda japonica Thunb.

개화기 4~6월 | 분포 전국 산야

산야에 자생하는 여러해살이풀로 20~30cm 높이로 자란다. 땅속줄기는 비스듬히 선다. 잎자루는 잎몸과 거의 비슷하고, 잎몸은 삼각상 광란형으로 2회 깃꼴겹잎이며, 가장자리에 잔톱니가 있다. 포자엽은 4월경에 영양엽보다 먼저 나오지만 영양엽보다 키가 작으며 2회 깃꼴겹잎으로 양측에 포자낭이 빽빽이 붙는다. 포자가 산포된 후 없어진다.

어린순을 나물로 먹는다. 매우 맛있고 영양가가 높아 숲속의 쇠고기라고 부른다.

005 | 고사리과 | 고사리(북고사리)

Pteridium aquilinum var. *latiusculum* (Desv.) Und. ex Heller.

개화기 포자로 번식 | 분포 전국 산지

산지의 양지쪽 경사면에 나는 하록성의 여러해살이풀로 높이가 1m까지 자란다. 잎은 달걀 모양의 삼각형으로 조금 딱딱한 가죽질이고 길이와 너비는 50cm 이상이며 3회 깃꼴로 갈라진다. 포자낭은 잎가장자리가 뒤로 말려 포막처럼 되며 포자낭군은 적갈색이다.

어린 순을 나물로 먹는다. 비슷한 식물인 고비(*Osmunda japonica*)는 잎이 2회 깃꼴로 갈라지며 잎조각이 보다 넓고, 포자는 별도의 포자수에 달린다.

거미고사리(거미일엽초)

006

| 꼬리고사리과 |

Asplenium ruprechtii Kurata

개화기 포자로 번식 | 분포 전국 산지

바위나 나무에 착생하고 5~15cm 높이로 자란다. 땅속줄기는 짧고 작으며 잎이 모여서 난다. 잎자루는 길이 1~10cm로 옅은 녹색이다. 포자낭군은 맥 위에 달리고 선형으로 중축 양쪽에 배열되며 포막은 앞쪽으로 벌어진다.

길게 자라난 중축 끝에 새로 생긴 무성아가 땅에 닿으면서 새싹이 번져가는 모습이 거미가 줄을 치는 것과 비슷하여 거미고사리라고 한다.

007 | 면마과 |

관중(면마, 호랑고비)

Dryopteris crassirhizoma Nakai

개화기 포자로 번식 | 분포 전국 산지의 음습지

깊은 산의 그늘지고 습한 곳에서 자생하는 여러해살이풀로 높이 50~100cm까지 자란다. 잎은 뿌리 근처에서 돌려나고 길이는 1m 정도이며 중축과 더불어 비늘잎이 많고 위가 넓은 피침형으로 2회 깃꼴로 깊게 갈라지며 가장자리에 둔한 톱니가 있다. 포자낭군은 잎 윗부분의 중간에 2줄로 붙어 있다.

잎이 왕관처럼 돌려나서 관중이라고 부른다.

십자고사리

008

| 면마과 |

Polystichum tripteron (Kunze) C.Presl

개화기 5월 | 분포 전국 산지 계곡

산지의 계곡 주변에 자라며, 땅속줄기는 짧고 직립하거나 옆으로 긴다. 잎자루는 10~30cm로 인편은 축에 바짝 달라붙고 쉽게 떨어진다. 잎몸은 길이 50cm 이하의 초질로 1회 깃꼴겹잎이다. 우축 뒷면에 붙는 인편은 비교적 오래 남는다. 포자낭군은 소우편에 흩어져 나고 포막은 일찍 떨어진다.

잎이 자루에서 열 십(十)자 모양으로 갈라져 십자고사리라는 이름이 붙었다.

009 산일엽초

| 고란초과 |

Lepisorus ussuriensis (Regel & Maack) Ching

개화기 포자로 번식 | 분포 전국 산지

바위나 나무에 착생한다. 땅속줄기는 가늘고 길며 지름이 1.5~3mm이고, 인편은 오래 남아 있으며 달걀 모양의 삼각형으로 위가 꼬리 모양으로 좁아지고 갈색이다. 잎몸은 단엽으로 선상 피침형이며 밑부분이 뾰족하다. 가장자리는 밋밋하거나 다소 뒤집히고 중륵을 따라 인편이 납작하며 드물게 달려 있다. 포자낭군은 원형으로 잎의 윗부분에 2줄로 달리고 포막은 없다.

비슷한 식물인 일엽초(*L. thunbergianus*)는 뿌리줄기의 인편이 2색성이고 중심부는 짙은 색으로 불투명하고 투명한 세포로 이루어진다.

범꼬리(만주범의꼬리)

010

| 마디풀과 |

Bistorta manshuriensis (Petrov ex Kom.) Kom.

개화기 6~7월(결실기 : 9~10월) | **분포** 전국 산지(제주도 제외)

깊은 산 초원에 자생하는 여러해살이풀로 30~80cm 높이로 자라고, 땅속줄기는 두툼하다. 잎은 밑동에서 모여 달리고 뒷면에는 흰색 털이 있으며, 뿌리에서 나오는 잎은 어긋나고 긴 삼각상 피침형이며 잎자루는 잎집이 된다. 꽃은 연분홍색 또는 흰색으로 이삭꽃차례에 달리고 길이가 3mm이다. 열매는 수과로 세모지고 광택이 난다.

꽃차례의 모양이 범의 꼬리와 같아 붙은 이름이다.

011 개여뀌

| 마디풀과 |

Persicaria longiseta (Bruijn) Kitag.

개화기 6~9월 | 분포 전국 산야

산과 들의 빈터에서 자생하는 한해살이풀로 20~50cm 높이로 자란다. 줄기에 털이 있다. 잎은 어긋나고 피침형이며 흑색점이 있고 뒷면 잎맥에 털이 있으며, 잎자루 밑에 붙은 턱잎은 통 모양으로 줄기를 감싸고 가장자리에 털이 있다. 꽃은 붉은색이나 흰색 꽃이 이삭 모양으로 촘촘히 모여 핀다. 열매는 흑갈색이다.

매운맛이 나는 여뀌와는 달리 맵지 않아 소가 먹는다.

며느리밑씻개(가시덩굴여뀌)

012

| 마디풀과 |

Persicaria senticosa (Meisn.) H.Gross ex Nakai

개화기 7~8월 | 분포 전국 산야

산 가장자리나 들판 또는 길가의 습한 곳에서 자생하는 한해살이풀로 1~2m 길이로 자란다. 줄기에 나 있는 잔가시로 다른 물체에 잘 붙는다. 잎은 어긋나고 세모형이며 잎자루는 길고 갈고리 같은 가시가 나 있다. 턱잎은 잎자루 밑부분에 달린다. 꽃은 분홍색이며 둥글게 모여 핀다. 열매는 둥글고 검은색으로 익는다.

1

며느리를 미워하는 시어머니가 가시가 나 있는 풀로 밑을 닦으라고 해서 붙여진 이름이다. 비슷한 식물인 며느리배꼽(*P. perfoliata*)은 잎자루가 잎 뒷면 중간에 달렸고 잎은 끝이 뾰족하다.

013 고마리(고만이)

| 마디풀과 |

Persicaria thunbergii (Siebold & Zucc.) H.Gross ex Nakai

개화기 8~9월(결실기 : 10~11월) | 분포 전국 산야 습지

들이나 물가에서 자생하는 덩굴성 한해살이풀로 50~100cm 높이로 자란다. 줄기는 모가 지고 갈고리 모양의 가시가 있다. 잎은 어긋나고 창 모양의 삼각형으로, 잎자루에 날개가 있다. 꽃은 연분홍색 또는 흰색이고 두상꽃차례로 가지 끝에 10여 송이가 둥글게 뭉쳐 달린다. 열매는 수과로 세모진 달걀형이고 황갈색이며 광택이 없다.

패랭이꽃(석죽)

014

| 석죽과 |

Dianthus chinensis L.

개화기 6~8월 | 분포 전국 산야

건조한 풀밭에서 자생하는 여러해살이풀로 30cm 높이로 자란다. 잎은 마주나고 칼 모양으로 끝이 뾰족하며 밑부분이 합쳐져서 줄기를 감싼다. 꽃은 진분홍색으로 하늘을 향해 피고, 꽃잎은 5장이며 끝이 얕게 갈라지고 가운데에 짙은 색 무늬가 있다. 열매는 삭과로 둥근 기둥처럼 생겼고 끝이 4개로 갈라진다.

꽃모양이 옛날 신분이 낮은 사람의 모자인 패랭이와 닮아서 붙여진 이름이며 '석죽화', 대나무와 같다 하여 '지여죽'이라고도 한다. 비슷한 식물인 술패랭이꽃(*D. longicalyx*)은 꽃잎이 잘게 갈라지고 분홍색이다.

015 | 석죽과 | 술패랭이꽃(수패랭이꽃)

Dianthus longicalyx Miq.

개화기 7~8월(결실기 : 9~10월) | 분포 전국 산야

산이나 들에서 자생하는 여러해살이풀로 1m 정도로 자란다. 줄기는 흰가루가 덮인 녹색으로 털이 없다. 잎은 마주나고, 끝이 뾰족하며, 아랫부분은 합쳐져 마디를 둘러싼다. 꽃은 분홍색으로 취산꽃차례에 달리고 끝이 깊게 갈라진다. 열매는 삭과로 원기둥 모양이며 남아 있는 꽃받침 속에 있고 4개로 갈라진다.

꽃잎의 가장자리가 술처럼 갈라져 술패랭이가 되었다.

털동자꽃

동자꽃(참동자)

| 석죽과 |

016

Lychnis cognata Maxim.

개화기 7~8월 | 분포 전국 산지(제주도, 울릉도 제외)

산의 숲속이나 풀밭에서 자생하는 여러해살이풀로 40~90cm 높이로 자란다. 줄기는 곧게 서며 마디가 뚜렷하고 긴 털이 나 있다. 잎은 마주나고 긴 타원형이며 잎자루가 없고 가장자리가 밋밋하다. 꽃은 크고 주황색이며 옆을 보고 피고, 꽃받침은 곤봉 모양이며 꽃잎은 5장이고 끝부분이 오목하게 패이고 납작하다. 열매는 삭과이며 타원형이다.

스님을 기다리다 얼어 죽은 동자를 묻은 곳에 피어나 동자꽃이 되었다는 전설이 있다. 비슷한 식물인 털동자꽃(*L. fulgens*)은 꽃잎이 깊게 갈라지고 꽃받침의 길이는 1.5~1.7cm이다.

큰개별꽃

017 개별꽃(다화개별꽃)

| 석죽과 |

Pseudostellaria heterophylla (Miq.) Pax ex Pax & Hoffm.

개화기 5월(결실기 : 5~6월) | 분포 전국 산지

산의 숲속에서 자생하는 여러해살이풀로 8~12cm 높이로 자란다. 줄기에는 흰털이 나 있다. 잎은 줄기에 마주나고 끝이 뾰족하고 긴 타원형이며 줄기 끝 잎은 4장이 십자 모양으로 붙는다. 꽃은 줄기 끝에 1~3개씩 위를 향해 피고 흰색이며 꽃잎 끝이 약간 오목하다. 열매는 달걀형으로 성숙하면 3갈래로 갈라지고 씨가 나온다.

꽃의 모양이 별 모양 같고 산에서 피기 때문에 개별꽃이라 부른다. 큰개별꽃(*P. palibiniana*)은 꽃자루에 털이 없으며 꽃잎의 끝이 뾰족하다.

별꽃

018

| 석죽과 |

Stellaria media (L.) Vill.

개화기 5~6월(결실기 : 8~9월) | 분포 전국 산야

밭이나 길가에서 자생하는 두해살이풀로 10~20cm 크기로 자란다. 줄기는 밑에서 많은 가지가 나오고 한 줄의 털이 있다. 잎은 마주나고 달걀형이며 대부분 양면에 털이 없고 가장자리가 밋밋하다. 꽃은 양성화이고, 취산꽃차례로 달리며, 잎 모양의 작은 포가 있다. 열매는 삭과로 꽃받침보다 길고, 종자는 납작한 신장형이며 겉에 유두상의 돌기가 있다. 꽃이 핀 다음 밑으로 처졌다가 열매가 익으면 위로 향한다.

2

019
| 미나리아재비과

투구꽃(그늘돌쩌귀)

Aconitum jaluense Kom.

개화기 8~9월 | 분포 전국 산지

산의 숲속에서 자생하는 여러해살이풀로 1m 정도의 높이로 자란다. 잎은 어긋나고 손바닥처럼 3~5개로 깊게 갈라지며 가장자리에 톱니가 있다. 꽃은 총상꽃차례에 보라색으로 달리고, 꽃잎이 고깔처럼 전체를 위에서 덮어 투구를 쓴 모양이다. 열매는 골돌로 타원형이고 뾰족한 암술대가 남아 있다.

꽃잎의 모양이 투구를 닮아서 붙여진 이름이다. 한방에서는 '초오'라는 이름으로 쓰이는 중요한 약재이나 독성이 있어 위험하다.

진범(줄바꽃)

020
| 미나리아재비과 |

Aconitum pseudolaeve Nakai

개화기 8~9월 | 분포 전국 산지

산지에 자생하는 여러해살이풀로 40~70cm 높이로 자란다. 뿌리는 두툼하고 흑갈색이며, 줄기는 모가 지고 곧게 선다. 뿌리에서 나는 잎은 잎자루가 길고, 줄기에서 나는 잎은 잎자루가 매우 짧으며 손바닥 모양으로 5~7갈래가 되고 갈래에는 톱니 또는 결각이 있다. 꽃은 연한 자주색 또는 붉은 보라색이고, 총상꽃차례로 달리며 길이는 2~2.5cm로 잔털이 나 있다. 열매는 골돌로 3개씩 붙어서 자란다.

한국에서만 자라는 특산식물이다.

021 | 미나리아재비과 |

노루삼

Actaea asiatica H.Hara

개화기 5~6월(결실기 : 8월) | 분포 전국 산지

산지의 나무 그늘에 자생하는 여러해살이풀로 60cm 높이로 자란다. 뿌리줄기는 짧고 두툼하며, 줄기 밑부분에는 비늘 조각 같은 잎이 있다. 잎은 2~4회 3출의 작은잎으로 된 겹잎이고 가장자리에 결각상이나 뾰족한 톱니가 있으며 맥 위에는 잔털이 있다. 꽃은 흰색이고 총상꽃차례로 달리며 꽃차례에 잔털이 있다. 열매는 장과로 둥근 모양이고 검은색으로 익는다.

복수초(눈색이속)

022

| 미나리아재비과 |

Adonis amurensis Regel & Radde

개화기 2~4월 | 분포 전국 산지

깊은 산의 숲속에서 자생하는 여러해살이풀로 10~30cm 높이로 자란다. 잎은 어긋나며 2회 깃꼴겹잎이고 긴잎자루에 달리며 턱잎은 녹색이고 잘게 갈라진다. 꽃은 잎보다 먼저 피며, 한낮에만 꽃잎이 벌어지고 추운 밤에는 꽃잎이 오므라들고 노란색이다. 꽃잎은 20~30개이다. 열매는 꽃턱에 둥글게 모여 달린다.

복(福)과 장수를 가져다주는 꽃이라 해서 붙여진 이름이다. 비슷한 식물인 가지복수초(*A. ramosa*)는 줄기가 1~2회 분지하며, 속이 비어 있고, 꽃받침이 5~7개이며 꽃이 잎과 같이 피거나 나중에 피지만, 세복수초(*A. multiflora*)는 꽃이 잎보다 나중에 핀다.

023 | 미나리아재비과 | 홀아비바람꽃(좀바람꽃)

Anemone koraiensis Nakai

개화기 4~5월 | 분포 강원도

산지의 습한 곳에 자생하는 여러해살이풀로 뿌리줄기는 옆으로 뻗는다. 잎은 뿌리에서 나오고 1~2장이며, 손바닥 모양으로 5갈래로 갈라지는데 가장자리는 얕게 갈라지고 표면과 가장자리에만 털이 있다. 꽃은 흰색으로 1개의 꽃자루 끝에 1송이가 달리고 지름이 15mm이다. 열매는 수과로 모여 달린다.

한국에서만 자라는 특산식물이다. 꽃대가 하나씩 올라와 붙은 이름이다.

꿩의바람꽃

024

| 미나리아재비과 |

Anemone raddeana Regel

개화기 4~5월 | 분포 중부 이북 산지

산의 숲속에서 자생하는 여러해살이풀로 10~20cm 높이로 자란다. 잎은 꽃이 질 때쯤 1장의 뿌리잎이 나오는데 2회 3출엽이고 작은잎은 끝부분이 2~3갈래로 얕게 갈라지며 가장자리가 밋밋하다. 꽃은 줄기 끝에 하얀 꽃이 피는데 밤이 되면 오므라들고 지름은 3~4cm 이며, 꽃받침잎은 8~13개이다. 열매는 수과이고 5월에 익으며 꼬리 모양이다.

속명 아네모네(*Anemone*)는 그리스어로 바람의 딸이라는 것에서 유래되었다.

하늘매발톱

025

| 미나리아재비과 |

매발톱꽃

Aquilegia buergeriana var. *oxysepala* (Trautv. & C.A.Meyer) Kitam.

개화기 5~7월 | 분포 중부 이북 깊은 산

산에서 자생하는 여러해살이풀로 50~100cm 높이로 자란다. 잎은 어긋나고 3갈래로 깊게 갈라지며 뒷면은 흰빛이 돈다. 꽃은 지름이 3cm 정도로 1개씩 밑을 향해 피고 꽃받침잎은 자주색이고 안쪽의 꽃잎은 노란색이다. 열매는 골돌로 5개이다.

위로 뻗은 긴 꽃뿔이 매의 발톱처럼 안으로 굽은 모양이어서 붙여진 이름이다. 비슷한 식물인 하늘매발톱(*A. japonica*)은 씨방과 골돌에 털이 없으며 꽃은 하늘색이다.

동의나물(누은동의나물)

026

| 미나리아재비과 |

Caltha palustris L.

개화기 4~5월 | 분포 전국 산지의 습지(제주도 제외)

산 속의 습지에서 자생하는 여러해살이풀로 50cm 높이로 자란다. 둥근 심장형 뿌리잎이 뿌리에서 모여나며 가장자리에 톱니가 있다. 줄기에는 몇 개의 둥근 줄기잎이 어긋난다. 줄기 끝에 노란색의 꽃이 보통 2개씩 위를 향해 핀다. 열매는 골돌로 4~16개이고 길이는 1cm이다.

물가에 자라며 둥근 잎사귀가 작은 동이를 닮아 붙여진 이름이다.

눈빛승마

027 촛대승마(나물승마)

| 미나리아재비과 |

Cimicifuga simplex (DC.) Turcz.

개화기 5~8월(결실기 : 6~9월) | 분포 전국 산지

산지에 자생하는 여러해살이풀로 1.5m 정도로 자란다. 잎은 3회 3출의 작은잎으로 된 겹잎이고 가장자리에는 결각과 치아상 모양의 톱니가 있다. 꽃은 암수딴그루로 흰색이며 줄기 끝에 1개의 총상꽃차례를 이룬다. 열매는 골돌이고 긴 타원형이다.

비슷한 식물인 눈빛승마(*C. dahurica*)는 꽃대축에 털과 선모가 있으며, 심피는 4~7개이고 털이 있는 것과 거의 없는 것이 있다.

노루귀(뾰족노루귀)

028

| 미나리아재비과 |

Hepatica asiatica Nakai

개화기 3~4월 | 분포 전국 산지

산의 숲속에서 자생하는 여러해살이풀로 10cm 높이로 자란다. 잎은 세모형으로 윗부분이 3갈래로 갈라지며 끝이 뭉뚝하고 뒷면이 흰 솜털로 덮여 있으며 잎자루는 길다. 꽃은 잎보다 먼저 피고 흰색, 분홍색, 보라색 등 여러 색으로 핀다. 열매는 수과이며 퍼진 털이 있다.

긴 흰털로 덮인 잎이 돋아날 때 모습이 노루 귀처럼 보여서 붙여진 이름이다. 비슷한 식물인 새끼노루귀(*H. insularis*)는 잎 끝이 둔하고 포의 길이가 1cm 이상이며 잎에 무늬가 있다. 섬노루귀(*H. maxima*)는 잎에 무늬가 없고, 큰 것은 길이 8cm 이상이며 울릉도에서 자란다.

029

| 미나리아재비과 |

모데미풀(금매화아재비)

Megaleranthis saniculifolia Ohwi

개화기 4~5월 | 분포 소백산, 태백산 등 높은 산

깊은 산 숲속에서 자생하는 여러해살이풀로 20~40cm 높이로 자란다. 잎은 꽃이 피고 나서 나오고 손바닥 모양인데 잎자루 끝에서 3개로 완전히 갈라지고 갈래조각은 다시 2~3개로 갈라지며 가장자리에 날카로운 톱니가 있다. 꽃잎처럼 보이는 꽃받침잎은 흰색이며 5장이다. 열매는 골돌로 익으면 방사형으로 갈라지면서 씨가 나온다.

지리산 자락인 모데미란 마을의 개울가에서 처음 발견되어 붙여진 이름이다. 우리나라 특산식물이다.

할미꽃(노고초)

030
| 미나리아재비과 |

Pulsatilla koreana (Yabe ex Nakai) Nakai ex Mori

개화기 4월 | 분포 전국 산야(제주도 제외)

양지쪽 풀밭 및 무덤가에서 자생하는 여러해살이풀로 25~40cm 높이로 자란다. 솜털을 뒤집어쓴 잎과 꽃줄기가 무더기로 나온다. 잎은 깃꼴겹잎이고 작은잎은 5개이며 3갈래로 깊게 갈라진다. 꽃은 종 모양의 진한 자주색이고 꽃잎 바깥쪽은 흰털로 덮여 있으며 꽃 속에는 많은 노란색 꽃밥이 들어 있다. 열매는 수과로 긴 달걀형이며 겉에 흰털이 있고 암술대가 남아 있으며, 깃털 모양으로 퍼진 털이 밀생한다.

열매에 난 흰 깃털이 할머니의 흰머리 같다 하여 붙여진 이름이다.

031

| 미나리아재비과 |

미나리아재비(놋동이)

Ranunculus japonicus Thunb.

개화기 5~6월 | 분포 전국 산야

산과 들의 풀밭에 자생하는 여러해살이풀로 30~50cm이고, 무리지어 자란다. 뿌리잎은 잎자루가 길고 둥근 오각형으로 밑부분은 심장저이며 3갈래로 깊게 갈라지고 다시 2~3개로 갈라지며 가장자리에 톱니가 있고 털이 있다. 꽃은 노란색이고 5장의 꽃받침이 있으며 겉면은 광택이 난다. 열매는 수과이며 끝이 뭉툭하다.

미나리아재비는 수과에 털이 없고, 줄기의 털은 퍼져 있지만 비슷한 식물인 왜미나리아재비(*R. franchetti*)는 수과에 짧은 털이 밀생하고, 개구리자리(*R. sceleratus*)는 두해살이풀이다.

꿩의다리(가락풀)

032

| 미나리아재비과 |

Thalictrum aquilegifolium var. *sibiricum* Regel & Tiling

개화기 7~8월 | 분포 전국 산 가장자리

산에 자생하는 여러해살이풀로 높이가 50~100cm이고, 원줄기는 속이 비었으며 녹색 또는 자주색 바탕에 분백색이 돈다. 잎은 어긋나고 전체가 삼각형이며 2~3회 깃꼴로 갈라지고, 작은잎은 위가 넓은 달걀형, 심장형이고 길이 1.5~3.5cm이며 3~4개로 갈라진다. 꽃은 지름 1.5cm로 흰색이며, 원줄기 끝에 산방꽃차례로 달린다. 열매는 삭과로 5~10개씩 달리고 타원형이며 열매자루는 밑으로 굽어 있다.

비슷한 식물인 금꿩의다리(*T. rochebrunianum* var. *grandisepalum*)는 꽃차례가 원추형이고 줄기에 능선이나 줄이 없으며, 작은잎은 거꿀달걀형이고, 꽃받침잎은 자주색이다.

033 | 매자나무과 |

꿩의다리아재비(가락풀나물)

Caulophyllum robustum Maxim.

개화기 6~7월(결실기 : 7~8월) | 분포 전국 산지

깊은 산에 자생하는 여러해살이풀로 60cm 정도로 자란다. 줄기 전체에 털이 없고, 뿌리줄기는 다소 굵으며 옆으로 뻗고 수염뿌리가 많으며 줄기가 곧게 선다. 잎은 어긋나고 2~3회 3출하여 3장의 작은잎으로 된 겹잎이며, 잎자루가 길다. 꽃은 연두색이고 원추꽃차례이며 꽃자루가 있다. 열매는 장과이다.

간혹 삼지구엽초로 오인되는데 독성이 있는 식물이다.

삼지구엽초(음양각)

034
| 매자나무과 |

Epimedium koreanum Nakai

개화기 5월(결실기 : 8월) | 분포 전국 산지

나무 밑에 자생하는 여러해살이풀로 30cm 높이로 자란다. 줄기는 보통 모여서 달리고 밑에 비늘 조각이 있으며 뿌리줄기가 단단하고 옆으로 뻗으며 수염뿌리가 많다. 잎은 2회 3출 겹잎으로 가장자리에 가시 모양의 털 같이 가는 톱니가 있으며, 뿌리에서 나오는 잎의 잎자루는 길고, 줄기에서 나오는 잎은 약간 짧다. 꽃은 유백색이고 겹총상꽃차례로 아래를 향해 매달리며, 꽃자루가 길다. 열매는 골돌과이다.

3갈래 가지가 2번씩 갈라져 모두 9개의 잎이 달려 붙은 이름이다.

035 깽깽이풀(깽이풀)

| 매자나무과 |

Jeffersonia dubia (Maxim.) Benth. & Hook.f. ex Baker & S.Moore

개화기 4~5월 | 분포 중부 이북 산지

산지에 자생하는 여러해살이풀로 20~30cm 높이로 자란다. 잎은 여러 개가 줄기 밑부분에서 모여나며 긴 잎자루 끝에 둥근 잎이 달리고 잎가장자리에 물결 모양의 굴곡이 있다. 꽃은 잎보다 먼저 피며 옅은 보라색이고 꽃잎은 6~8장이다. 열매는 넓은 타원형이며, 까맣고 반질반질한 씨앗이 들어 있다.

희귀식물이며 개미가 씨앗을 날라 번식시켜준다.

한계령풀(메감자)

036

| 매자나무과 |

Leontice microrrhyncha S.Moore

개화기 5월 | 분포 강원도

깊은 산의 양지바른 곳에 자생하는 여러해살이풀로 30~40cm 높이로 자란다. 줄기에 달리는 잎은 2회 3출엽으로 작은잎은 타원형이며 가장자리가 밋밋하고 끝이 둥글다. 잎처럼 생긴 턱잎은 줄기를 둘러싼다. 줄기 끝에 노란색 꽃이 총상꽃차례로 핀다.

한계령에서 처음 발견되어 붙은 이름이며, 희귀식물이다.

037
| 홀아비꽃대과 |

홀아비꽃대(호래비꽃대)

Chloranthus japonicus Siebold

개화기 5~6월(결실기 : 9~10월) | 분포 전국 산지

숲속에 자생하는 여러해살이풀로 20~30cm 정도로 자라고, 땅속줄기에 마디가 많다. 잎은 땅위줄기에서 보통 끝에 4장의 잎이 2장씩 마주나고 달걀형으로 가장자리에 날카로운 톱니가 있고 광택이 난다. 꽃은 양성화로 흰색이며, 이삭꽃차례이다. 열매는 삭과이다.

꽃차례가 줄기에 하나씩 올라와 붙은 이름이다. 홀아비꽃대는 꽃차례가 1개이며 3개의 수술대가 길어지고, 2개는 밑에 꽃밥이 달려 있지만 꽃대(*C. serratus*)는 꽃차례가 1~3개이고 수술대는 길어지지 않고, 꽃밥이 모두 달려 있다.

개족도리풀

족도리풀(민세신)

038

| 쥐방울덩굴과 |

Asarum sieboldii Miq.

개화기 4월 | 분포 전국 산지

산의 숲속에서 자생하는 여러해살이풀로 4~10cm 높이로 자란다. 땅 속의 뿌리줄기는 마디가 많고 옆으로 비스듬히 뻗으며 마디에서 뿌리를 내린다. 잎은 뿌리줄기의 마디에서 보통 2개씩 나오고 심장형이며 가장자리가 밋밋하고, 잎자루가 길다. 꽃은 족두리 모양으로 자줏빛이 나는 진한 갈색이고 지름이 1~2cm이며 옆을 보고 피며 끝이 3개로 갈라진다. 열매는 장과이다.

꽃의 모양이 부인들 머리에 쓰는 족두리와 닮아서 붙여진 이름이고, 세신이라고 하여 약으로 쓰이며, 비슷한 식물인 개족도리풀(*A. maculatum*)은 잎의 표면에 흰 무늬가 있다.

참작약

039

| 작약과 |

백작약(산작약)

Paeonia japonica (Makino) Miyabe & Takeda

개화기 6월 | 분포 전국 산지

산지에 자라는 여러해살이풀로 40~50cm로 자라고, 덩이뿌리를 형성하며 굵고 분지된 뿌리에서 잔뿌리가 내린다. 잎은 어긋나고 3회씩 2회 갈리지며 작은잎은 긴 타원형으로 가장자리가 밋밋하다. 꽃은 흰색으로 원줄기 끝에 하나씩 매달리고 꽃잎은 5~7개씩 달린다. 열매는 골돌로 긴 타원형이고, 벌어지면 안쪽이 붉어지고, 가장자리에 덜 자란 적색 종자와 익은 흑색 종자가 달린다.

비슷한 식물인 참작약(*P. lactiflora* var. *trichocarpa*)은 꽃받침잎이 끝까지 남아 있고, 꽃잎은 10개 정도이다.

물레나물

040
| 물레나물과 |

Hypericum ascyron L.

개화기 6~8월 | 분포 전국 산야

산과 들에서 자생하는 여러해살이풀로 50~150cm 높이로 자란다. 잎은 마주나고 피침형이며 가장자리가 밋밋하고 투명한 점이 있으며 밑부분이 줄기를 감싼다. 꽃은 노란 꽃이 한 송이씩 달리고 지름 4~6cm이며 꽃잎은 5장이다. 열매는 삭과로 달걀형이다.

5장의 꽃잎이 붙은 모양이 물레바퀴가 도는 모양과 비슷해서 붙여진 이름이다. 비슷한 식물인 고추나물(*H. erectum*)은 높이 20~60cm 정도이고, 꽃의 지름은 1~2cm 정도이며 줄기에 검은 점이 있고 잎에는 점이 없다.

끈끈이귀개

041
| 끈끈이귀개과 |

끈끈이주걱

Drosera rotundifolia L.

개화기 7월 | 분포 전국 산속 양지바른 산성습지

양지바른 습지에서 자생하는 여러해살이풀로 6~30cm 높이로 자란다. 잎은 주걱 모양으로 뿌리에서 모여나고 표면에 붉은 털이 많이 나 있으며 털에는 끈끈한 액체가 묻어 있어, 여기에 작은 벌레가 붙으면 잎이 오므라들면서 벌레를 잡는다. 꽃은 잎 사이에서 자란 꽃줄기 끝에 흰색으로 핀다. 꽃잎은 5장이다. 열매는 삭과이고, 길이가 4~5mm이며 익으면 3개로 갈라진다.

주걱 같은 잎이 끈적끈적하여 붙은 이름으로 대표적인 식충식물이며 희귀식물이다. 비슷한 식물인 끈끈이귀개(*D. peltata* var. *nipponica*)는 줄기에 달린 잎이 없다.

애기똥풀(까치다리)

042

| 양귀비과 |

Chelidonium majus var. *asiaticum* H.(Hara) Ohwi

개화기 5~8월 | 분포 전국 산야

양지쪽 숲가나 빈터에서 자생하는 두해살이풀로 30~50cm 크기로 자란다. 줄기는 가지를 치며 잎과 같이 흰색을 띠고 전체에 길고 연한 털이 있다. 잎은 어긋나고 새깃꼴로 한두 차례 깊게 갈라진다. 꽃은 노란색이며 꽃잎은 4장이고, 산형꽃차례로 핀다. 열매는 삭과로 긴 원통형이며 길이는 3~4cm이고, 검은 씨가 나온다.

줄기나 잎을 자르면 나오는 노란색 유액이 어린 아기 똥 같다고 하여 붙여진 이름이며, '젖풀'이나 '까치다리'라고도 한다. 비슷한 식물인 피나물(*H. vernalis*)은 꽃이 보다 크고 줄기를 자르면 붉은색 유액이 나오며, 잎가장자리의 톱니가 날카롭다.

043 | 양귀비과 | 피나물(노랑매미꽃)

Hylomecon vernalis Maxim.

개화기 4~5월 | 분포 전국 산지

산의 숲속에서 자생하는 여러해살이풀로 30cm 높이로 자란다. 잎은 어긋나고 긴 타원형이며 끝이 뾰족하고 가장자리에 고르지 않은 톱니가 있다. 꽃은 1~3개 정도의 긴 꽃자루에 달리고 노란색이며 꽃잎은 4장으로 광택이 있고, 가운데에 노란빛 수술이 모여 있다. 열매는 삭과로 길이가 3~5cm이다.

줄기를 자르면 붉은색의 즙액이 나오기 때문에 붙여진 이름이다. 비슷한 식물인 매미꽃(*Coreanomecon hylomecoides*)은 꽃줄기에 잎이 없다.

현호색

044

| 현호색과 |

Corydalis remota Fisch. ex Maxim.

개화기 4월 | **분포** 전국 산지

산기슭이나 숲속에서 자생하는 여러해살이풀로 10~20cm 높이로 자란다. 잎은 어긋나고 1~2회 3출엽이며 갈래조각은 거꾸로 된 달걀형이고 윗부분이 깊게 갈라진다. 꽃은 하늘색, 분홍색, 보라색으로 피고 입술 모양이며 뒷부분은 기다란 꿀주머니로 되어 있고, 꽃잎은 4장이다. 열매는 삭과로 긴 타원형이다.

비슷한 식물인 들현호색(*C. ternata*)은 꽃이 붉은색이며 덩이뿌리가 2개 이상 옆으로 벋는다.

자주괴불주머니

045 | 현호색과 | 산괴불주머니(암괴불주머니)

Corydalis speciosa Maxim.

개화기 4~6월 | 분포 전국 산지

산 속이나 숲가에서 자생하는 두해살이풀로 30~50cm 높이로 자란다. 줄기는 흰빛이 돈다. 잎은 어긋나고 2회 깃꼴겹잎이며 작은잎은 다시 새깃꼴로 잘게 갈라지고 마지막 갈래 조각은 좁은 타원형이다. 꽃은 노란색으로 줄기 윗부분에 촘촘히 모여 피고, 꽃잎은 긴 원통형으로 앞부분은 입술 모양이며 뒷부분은 긴 꿀주머니로 되어 있다. 열매는 삭과이며 길고 염주 모양과 비슷하며, 종자는 표면이 오목하다.

비슷한 식물인 자주괴불주머니(*C. incisa*)는 꽃이 자주색이다.

금낭화(등모란) 046

| 현호색과 |

Dicentra spectabilis (L.) Lem.

개화기 5~6월 | 분포 전국 산지

산지의 돌밭이나 계곡에서 자생하는 여러해살이풀로 40~50cm 높이로 자란다. 잎은 어긋나고, 잎자루가 길며 2회 깃꼴겹잎이다. 꽃잎은 4개가 모여서 편평한 심장형으로 보이고, 연한 붉은색의 주머니 모양으로 꽃대의 한쪽으로 여러 송이가 주렁주렁 달린다. 열매는 삭과로 긴 타원형이고 길이는 1~2cm이다.

꽃의 모양이 아름다운 주머니를 닮아 붙은 이름이다. 관상용으로 인기가 높다.

유럽나도냉이

047
| 십자화과 |

나도냉이(산냉이)

Barbarea orthoceras Ledeb.

개화기 5~6월(결실기 : 8~9월) | 분포 전국 산야 계곡

냇가나 들의 물기가 있는 곳에 자생하는 여러해살이풀로 70cm 정도로 자란다. 잎은 뿌리부분에 모여나고 깃 모양으로 굵게 갈라지며 긴 잎자루가 있고, 줄기부분은 어긋나며 표면에 털이 없고 윤택이 나며 뒷면은 자주색이고 잎자루가 없다. 꽃은 노란색으로 총상꽃차례에 달리며 십자 모양이다. 열매는 장각이고, 능선이 있으며 잘 터지지 않는다.

나도냉이는 열매가 줄기보다 비스듬히 자라지만, 유럽나도냉이(*B. vulgaris*)는 열매와 줄기가 평행하게 자란다.

꽃다지

꽃다지

냉이(나생이)

048

| 십자화과 |

Capsella bursa-pastoris (L.) L.W.Medicus

개화기 5~6월(결실기 : 9~10월) | 분포 전국 산야

산과 들에 자생하는 두해살이풀로 10~50cm 정도 자라고, 전체에 털이 없다. 뿌리잎은 많이 돋아서 지면에 퍼지며 길이는 10cm 이상 되고, 줄기잎은 어긋나며 위로 갈수록 작아지고, 잎자루가 없어지며 원줄기를 반 이상이 감싼다. 꽃은 흰색이고 총상꽃차례로 꽃자루가 있다. 열매는 달걀 모양의 삼각형이고 장각이다.

비슷한 식물인 꽃다지(*Draba nemorosa*)는 열매가 길거나 짧으며 앞뒤로 편평하거나 원주형이고 종자에 날개가 없다. 어린잎과 뿌리를 나물로 먹는다.

049 미나리냉이(미나리황새냉이)

| 십자화과 |

Cardamine leucantha (Tausch) O.E.Schulz

개화기 5~7월(결실기 : 8~9월) | 분포 전국 산지

산골짜기 시내 근처의 그늘진 곳에 자생하는 여러해살이풀로 50cm 정도로 자란다. 전체에 부드러운 털이 있으며 땅속줄기를 뻗는다. 잎은 어긋나고 5~7장의 작은잎으로 된 깃꼴겹잎으로 가장자리에 불규칙한 톱니가 있으며, 잎자루가 길다. 꽃은 흰색이고 가지 끝 또는 줄기 끝에 총상꽃차례로 달린다. 열매는 장각으로 긴 자루가 있다.

콩다닥냉이

말냉이

다닥냉이

050

| 십자화과 |

Lepidium apetalum Willd.

개화기 5~7월(결실기 : 8~9월) | 분포 전국 산야

북아메리카 원산으로 들에서 자생하는 두해살이풀이며 30~60cm 정도로 자라고, 전체에 털이 없다. 잎의 가장자리에 톱니가 있다. 꽃은 흰색으로 피고 총상꽃차례로 십자 모양이다. 열매는 각과로 끝이 오목하게 패인 원판상이고 적갈색이며 가장자리에 있는 흰 막질의 날개는 물에 젖으면 점질이 된다.

비슷한 식물인 콩다닥냉이(*L. virginicum*)는 꽃잎의 길이가 꽃받침의 길이와 같거나 길고, 말냉이(*Thlaspi arvense*)는 각과가 벌어지며, 종자가 각 실에 2개 이상씩 들어 있다.

태백기린초

051 기린초(각시기린초)

| 돌나물과 |

Sedum kamtschaticum Fisch. & Mey.

개화기 6~8월(결실기 : 8월) | 분포 전국 산야

산과 들의 풀밭이나 바위틈에서 자생하는 여러해살이풀로 5~30cm 높이로 보통 여러 개의 줄기가 나온다. 잎은 어긋나고 위가 넓은 타원형이며 통통한 다육질이고 가장자리에 톱니가 있다. 꽃은 줄기 끝의 취산꽃차례에 달리며 노란색으로 꽃잎이 5장이며 끝이 뾰족하다. 열매는 작은 타원형이며 익으면 붉은색을 띤다.

비슷한 식물인 태백기린초(*S. latiovalifolium*)는 전년도 줄기에서 가는 가지가 나오며, 잎은 줄기 끝에 달리고, 꽃이 5~7개 나온다.

바위채송화(개돌나물)

052
| 돌나물과 |

Sedum polytrichoides Hemsl.

개화기 7~9월(결실기 : 10월) | **분포** 중부 이남 산지

산지에 자생하는 여러해살이풀로 7cm 정도로 자란다. 줄기는 밀생하고 곧게 서거나 비스듬히 올라가서 가지를 낸다. 잎은 어긋나고, 잎자루는 없으며 끝이 뾰족하고 밑은 보통 자주색이다. 꽃은 노란색이고 취산꽃차례로 꽃자루는 없다. 열매는 골돌로 둥근 피침형이며 5개이다.

채송화 같은 잎이 달리며 주로 바위틈에서 자라 붙은 이름이다. 비슷한 식물인 땅채송화(*S. oryzifolium*)는 꽃차례가 곁가지 끝에 달리며 잎은 원두이다.

053 돌나물(돈나물)

| 돌나물과 |

Sedum sarmentosum Bunge

개화기 5월(결실기 : 6월) | 분포 전국 산야

바위 위나 습한 곳에서 자생하는 여러해살이풀로 15cm 높이로 자란다. 처음에는 곧게 자라다가 점차 땅 위로 길게 누워 자란다. 잎은 긴 타원형이고 끝이 뾰족하며 보통 3개씩 돌려나고 통통한 다육질이다. 꽃은 줄기에 취산꽃차례에 달리고 노란색이며 꽃잎은 5장이다. 열매는 골돌로 비스듬히 벌어진다.

잎을 나물로 먹거나 김치를 담근다. 비슷한 식물인 바위채송화(*S. polytrichoides*)는 잎이 어긋나며 피침형 또는 선형으로 돌나물보다 가늘다.

노루오줌(큰노루오줌)

054
| 범의귀과 |

Astilbe rubra Hook.f. & Thomas ex Hook.f.

개화기 7~8월 | 분포 전국 산지

산에서 자생하는 여러해살이풀로 30~70cm 높이로 자란다. 줄기는 곧게 자라며 갈색의 긴 털이 나 있다. 잎은 어긋나며 전체가 삼각형 모양으로 2~3회 3출엽이며 잎자루는 길고, 작은잎은 긴 달걀형으로 가장자리에 톱니가 있다. 꽃은 분홍색이며 작은 꽃들이 모여 원뿔형의 꽃송이를 만든다. 열매는 삭과로 길이 3~4mm이다.

땅속의 뿌리에서 역겨운 냄새가 나는데 노루의 오줌 냄새 같다 하여 붙여진 이름이다.

055 애기괭이눈(덩굴괭이눈)

| 범의귀과 |

Chrysosplenium flagelliferum F.Schmidt

개화기 4~5월(결실기 : 6월) | 분포 전국 산지 습지

산골짜기 습한 바위 위에 나는 여러해살이풀로 15cm 정도 자라고, 줄기는 긴 털이 다소 있다. 줄기에서 나오는 잎은 어긋나서 자라고 가장자리에 둔한 이빨 모양의 톱니가 있다. 꽃은 연한 황록색이고, 꽃받침은 둥근 모양으로 수술이 8개이다. 열매는 삭과로 얕게 2개로 갈라진다.

괭이눈속 중에서 잎이 가장 작아서 붙은 이름이다.

바위괭이눈

산괭이눈

괭이눈(괭이눈풀)

056

| 범의귀과 |

Chrysosplenium grayanum Maxim.

개화기 4~5월(결실기 : 5월) | 분포 전국 산지 습지

산의 습지에 자라는 여러해살이풀로 뿌리에서 나오는 잎이 없다. 잎은 마주나고 가장자리에 둔한 톱니가 있으며 양면에 털이 있거나 없고, 잎자루가 있다. 꽃은 연한 황록색으로 지름은 2mm이며, 꽃잎은 꽃받침과 마주나고, 꽃의 옆에 잎은 황색이다. 열매는 삭과로 깊게 2개로 갈라지고, 종자는 자갈색으로 광택이 나며 잔돌기가 있다.

비슷한 식물인 애기괭이눈(*C. flagelliferum*)은 잎이 어긋나고 톱니 끝은 둥글며 지상 포경이 있고, 바위괭이눈(*C. macrostemon*)은 잎이 마주나고 털이 없으며 꽃이 연한 황록색이다. 산괭이눈(*C. japonicum*)은 잎이 어긋나고 잎가장자리의 톱니 끝이 낮으며 편평하고 포복경이 없으며 꽃이 핀 다음에 기부에 실눈이 생긴다.

057 돌단풍(돌나리)

| 범의귀과 |

Mukdenia rossii (Oliv.) Koidz.

개화기 5~6월 | 분포 충청도 이북 산지 계곡이나 냇가

산의 개울가 바위틈에서 자라는 여러해살이풀로 30cm 높이로 자란다. 잎은 잎자루가 길며 2~5장씩 모여나고, 손바닥 모양으로 가장자리가 5~7개로 깊게 갈라지고 톱니가 있다. 꽃은 흰색으로 취산꽃차례로 촘촘히 모여 달리며 꽃잎은 6장이다. 열매는 삭과로 달걀형이고 익으면 2개로 갈라진다.

잎 모양이 단풍잎과 비슷하고 바위틈에서 자라며 가을에 붉게 단풍이 들어 붙여진 이름이다.

물매화(풀매화)

058

| 범의귀과 |

Parnassia palustris L.

개화기 7~9월(결실기 : 8~9월) | **분포** 전국 산지

산지에 자생하는 여러해살이풀로 20~30㎝로 자란다. 뿌리잎은 잎자루가 길며 둥근 심장형이고 가장자리가 밋밋하다. 줄기잎은 1장으로 둥근형이며 밑부분이 줄기를 감싼다. 꽃은 하나씩 달리는데 흰색이고, 꽃잎은 5장이고, 헛수술은 5개로서 끝이 12~22개이다. 열매는 삭과로 길이는 10~12mm이며 넓은 달갈형으로 8월부터 익어 4조각으로 갈라진다.

물가에 자라며 매화꽃을 닮아서 붙여진 이름이다.

059 도깨비부채(수레부채)

| 범의귀과 |

Rodgersia podophylla A.Gray

개화기 6~7월(결실기 : 7월) | 분포 경기도와 강원도 이북 산지

깊은 산 응달에 자생하는 여러해살이풀로 1m 정도 자란다. 잎은 어긋나고 손바닥 모양의 겹잎으로 불규칙한 톱니가 있으며 뒷면 맥 위에 털이 있고 잎자루가 길다. 꽃은 황백색이며 원추상 취산꽃차례로 줄기 끝에 달린다. 열매는 삭과로 넓은 타원형이며 2개로 갈라진다.

큼직한 잎이 마치 부채처럼 돌려나서 붙은 이름이다. 도깨비부채는 겹잎이지만, 비슷한 식물인 개병풍(*Astiboides tabularis*)은 단엽이다.

바위취 꽃

바위취 잎

바위떡풀(털바위떡풀)

060 | 범의귀과 |

Saxifraga fortunei var. *incisolobata* (Engl. & Irmsch.) Nakai

개화기 8~9월(결실기 : 9월) | **분포** 전국 산지

산의 습한 곳 바위 위에 나는 여러해살이풀로 30cm 정도로 자란다. 잎은 빽빽하게 자라고 긴 털이 있으며, 잎가장자리가 얕게 손바닥 모양으로 갈라지며 이빨 모양의 톱니가 있고, 뒷면은 흰색으로, 잎자루는 길다. 꽃은 흰색으로 꽃줄기 위에 원추상 취산화서로 달린다. 열매는 삭과로 달걀형이고, 종자는 긴 방추형이다.

비슷한 식물인 바위취(*S. stolonifera*)는 상록성이고 포복지가 있으며, 잎이 원심형으로 톱니가 있고, 암술이 2개이다.

061 짚신나물(등골짚신나물)

| 장미과 |

Agrimonia pilosa Ledeb.

개화기 6~8월(결실기 : 8~9월) | 분포 전국 산야

들이나 길가에 흔히 나는 여러해살이풀로 30~100cm 높이로 자란다. 전체에 털이 있다. 잎은 어긋나고 홀수깃꼴겹잎으로 5~7개의 작은잎이 있는데 중앙부에 작은잎 같은 것이 끼어 있다. 꽃은 노란색으로 길이 10~20cm의 이삭꽃차례에 달리며 꽃잎은 5장이고 수술은 12개이며, 꽃받침통 밑에 갈고리 같은 털이 있어서 익으면 다른 물체에 잘 붙는다. 열매는 수과이고 원추형이며 윗머리에 갈고리 같은 가시들이 있다.

뱀딸기(배암딸기)

062

| 장미과 |

Duchesnea indica (Andr.) Focke

개화기 4~5월 | 분포 전국 산야

산 가장자리와 들판 풀밭이나 길가에 자생하는 여러해살이풀로 줄기는 옆으로 길게 뻗으며 마디에서 뿌리를 내린다. 줄기에는 긴 털이 빽빽하게 있다. 잎은 어긋나고 3출엽이며, 작은잎은 달걀형으로 가장자리에 톱니가 있고, 뒷면에는 긴 털이 있다. 꽃은 노란색이며 꽃잎은 5장으로 끝이 약간 오목하다. 열매는 딸기 모양으로 붉은색이다.

딸기와 비슷한 열매가 달려 이름이 붙여졌다. 열매는 먹을 수 있으며 약으로 쓰기도 하지만 맛이 없다.

063 | 장미과 |

터리풀(민터리풀)

Filipendula glaberrima (Nakai) Nakai

개화기 6~8월(결실기 : 8월) | 분포 전국 산지

산지에 나는 여러해살이풀로 1m 정도 자란다. 줄기는 곧게 서고, 전체에 털이 거의 없다. 잎은 어긋나고 손바닥 모양으로 3~7갈래 갈라지고 가장자리에 결각상의 겹톱니가 있으며 잎자루는 길다. 꽃은 흰색이고 취산상 산방꽃차례로 줄기나 가지 끝에 모여 달린다. 열매는 수과로 달걀 모양의 타원형이며 가장자리에 털이 있다.

작은 꽃이 모여 달린 꽃차례가 털이개를 닮아 붙여진 이름이다.

딱지꽃(딱지)

064

| 장미과 |

Potentilla chinensis Ser.

개화기 6~7월 | 분포 전국 산야

산 가장자리의 양지에서 자생하는 여러해살이풀로 30~70cm 높이로 자란다. 줄기에는 털이 많이 나 있다. 잎은 어긋나고, 잎자루는 길며, 15~29개의 작은잎은 깃꼴로 달리며 각각이 다시 잘게 갈라지고 뒷면에 흰 솜털이 빽빽하다. 꽃은 취산꽃차례로 달리고 노란색이며 꽃잎은 5장으로 끝이 오목하게 팬다. 열매는 수과로 넓은 달걀형이고 세로로 주름살이 진다.

065 양지꽃(소시랑개비)

| 장미과 |

Potentilla fragarioides var. *major* Maxim.

개화기 4~6월(결실기 : 6월) | 분포 전국 산야

산과 들의 양지쪽 풀밭에서 자생하는 여러해살이풀로 30~50cm 높이로 비스듬히 자란다. 뿌리잎은 땅바닥에 방석처럼 퍼지며 전체에 솜털이 많이 나 있다. 깃꼴겹잎으로 작은잎은 타원형이며 끝 쪽의 3개가 특히 크고 잎자루는 길다. 줄기잎은 3개의 타원형 작은잎으로 이루어진 3출엽이다. 꽃은 노란색이며 꽃잎은 5장이고 끝이 오목하게 패인다. 열매는 수과이고 달걀형의 2mm 정도 크기이며 세로 주름이 있다.

세잎양지꽃(*P. freyniana*)은 작은잎은 3개씩 달리고 달걀 모양의 긴 타원형이며 톱니가 작다.

세잎양지꽃(우단양지꽃)

066

| 장미과 |

Potentilla freyniana Bornm.

개화기 3~4월(결실기 : 4월) | 분포 전국 산야

산과 들에 자생하는 여러해살이풀이다. 잎은 3장의 작은잎으로 된 겹잎이고 표면에는 털이 없으며 녹색이고 뒷면의 맥 위에는 털이 퍼져서 자라며 가장자리는 밋밋하다. 꽃은 노란색이고 5개의 꽃잎을 가진다. 열매는 수과로 털이 없다.

비슷한 식물인 민눈양지꽃(*P. yokusaina*)은 작은잎이 달걀형이고 포복지의 것은 뿌리에서 돋은 잎과 같거나 조금 크며 톱니가 매우 크다.

산오이풀

067 오이풀(수박풀)

| 장미과 |

Sanguisorba officinalis L.

개화기 6~9월(결실기 : 9월) | 분포 전국 산야

산과 들에 나는 여러해살이풀로 1m 정도 자란다. 뿌리에서 나오는 잎은 잎자루가 길고 깃꼴겹잎이며 가장자리에 치아상 모양의 톱니가 있다. 꽃은 검붉은색으로 이삭꽃차례에 달리고 원통형으로 곧게 선다. 열매는 수과로 사각형이다.

어린 줄기와 잎에서 오이 냄새가 나므로 '오이풀'이라고 한다. 비슷한 식물인 산오이풀(*S. hakusanensis*)은 꽃차례가 쳐지고 수술은 6~12개이며 꽃은 붉은 보라색이다.

활량나물(활양나물)

068

| 콩과 |

Lathyrus davidii Hance

개화기 6~8월(결실기 : 10월) | 분포 전국 산야

산이나 들에 자생하는 여러해살이풀로 90cm 정도 자란다. 줄기는 곧게 서고 비스듬히 올라간다. 잎은 어긋나고 깃꼴겹잎으로 끝에 갈라진 덩굴손이 있으며 가장자리는 밋밋하고 뒷면은 흰빛이 나는 녹색이며 잎자루가 있고 턱잎에 톱니가 있다. 꽃은 노란색이고 뒤에 갈색으로 변하며, 총상꽃차례에 달린다. 열매는 협과로 납작한 선형이고, 종자는 10개 가량 된다.

069 고삼(너삼)

| 콩과 |

Sophora flavescens Solander ex Aiton

개화기 6~8월(결실기 : 9~10월) | 분포 전국 산야

산과 들에 나는 여러해살이풀로 80~120cm 정도 자라고, 전체에 짧은 노란색 털이 있으며, 뿌리는 두툼하고 매우 쓴맛이 난다. 잎은 어긋나고 깃꼴겹잎으로 가장자리는 밋밋하다. 꽃은 연한 노란색으로 많은 꽃이 총상꽃차례로 줄기 끝에 달린다. 열매는 협과로 원통형이며 씨와 씨 사이가 잘록하게 들어가서 염주 모양이 된다.

쓴맛이 나는 약용식물이다.

나비나물

070

| 콩과 |

Vicia unijuga A.Braun

개화기 6~9월(결실기 : 9월) | 분포 전국 산야

산과 들에 나는 여러해살이풀로 30~100cm 정도 자란다. 줄기 전체에 털이 거의 없으며 여러 줄기가 한군데에서 나오고 곧추 또는 약간 비스듬히 자라며 원줄기는 네모가 진다. 잎은 어긋나고 한 쌍의 소엽이 달리며 달걀형 또는 피침형이다. 꽃은 붉은 보라색으로 나비 모양이며 길이가 12~15mm이다. 열매는 협과로 길이가 3cm이고 털이 없다.

마주 달린 탁엽 모양이 나비를 닮아 붙은 이름이다.

071 광릉갈퀴(광능갈퀴)

| 콩과 |

Vicia venosa var. *cuspidata* Maxim.

개화기 6~7월(결실기 : 8~10월) | 분포 전국 산지

산지에 나는 여러해살이풀로 50~100cm 정도 자라고, 줄기는 모가 지며 곧게 선다. 잎은 어긋나고 깃꼴겹잎이며 가장자리는 밋밋하고 턱잎은 약간 초승달 모양이다. 꽃은 푸른 보라색 또는 붉은 보라색으로 한쪽으로 치우쳐 모여 자란다. 열매는 협과로 납작하다.

광릉에서 처음 발견되어 붙여진 이름이나 전국적으로 분포한다. 광릉갈퀴는 소엽이 3~7쌍이지만, 노랑갈퀴(*V. chosenensis*)의 소엽은 2~4쌍이다.

괭이밥(괴싱아)

072

| 괭이밥과 |

Oxalis corniculata L.

개화기 5~8월(결실기 : 8월) | 분포 전국 산야

밭이나 길가에 흔히 자라는 여러해살이풀로 10~30cm 정도 자라고, 줄기 전체에 잔털이 퍼져 나오며, 뿌리줄기에 옥살산이 들어 있어 신맛이 난다. 잎은 어긋나고 3출 겹잎으로 작은잎은 삼각형이며, 잎자루가 길다. 꽃은 노란색이다. 열매는 삭과로 원기둥 모양이고, 익으면 많은 씨가 쏟아져 나온다.

고양이가 소화가 잘 되지 않을 때 이 풀을 뜯어 먹는다고 해서 괭이밥이라는 이름이 붙었다. 괭이밥은 뿌리가 곧고 비후하며, 땅위줄기는 땅을 기고 턱잎이 뚜렷하나, 선괭이밥(*O. stricta*)은 뿌리가 가늘고 땅위줄기는 곧게 서며 턱잎이 뚜렷하지 않다.

애기괭이밥

073 큰괭이밥(큰괭이밥풀)

| 괭이밥과 |

Oxalis obtriangulata Maxim.

개화기 4~5월(결실기 : 7~8월) | 분포 전국 산지

깊은 산 숲속에 나는 여러해살이풀로 신맛이 나며, 뿌리줄기는 가늘고 비늘잎에 싸여 있다. 잎은 작은잎이 3장이고 삼각형이며 가운데는 우묵하게 들어가 있고, 잎자루가 길다. 꽃은 엷은 노란색이고 5수성이다. 열매는 삭과로 원기둥 모양의 달걀형이다.

큰괭이밥은 작은잎이 거꾸로 된 삼각형이며 삭과의 길이가 2cm이다. 비슷한 식물인 애기괭이밥(*O. acetosella*)은 작은잎이 거꾸로 된 심장형이며 삭과의 길이가 4~12mm이다.

쥐손이풀

이질풀(개발초, 거십초)

074
| 쥐손이풀과 |

Geranium thunbergii Siebold & Zucc.

개화기 8~9월(결실기 : 9~10월) | 분포 전국 산야

들에 나는 여러해살이풀로 50~100cm 정도 자라고, 줄기 전체에 긴 털이 있다. 잎은 마주나고 손바닥 모양으로 3~5갈래 갈라지며 갈래의 위 가장자리에 톱니가 있다. 꽃은 분홍색이고 꽃잎에는 짙은 붉은 보라색 맥이 있다. 열매는 5개로 갈라져서 위로 말리고 5개의 종자가 들어 있다.

비슷한 식물인 쥐손이풀(*G. sibiricum*)은 줄기에 아래를 향하는 털이 밀생하고, 원뿌리가 있다.

075 | 대극과 |

개감수(감수)

Euphorbia sieboldiana Morren & Decne.

개화기 4~7월(결실기 : 9월) | 분포 전국 산야

산과 들에 자라는 여러해살이풀로 30~40cm 정도 자라며 전체에 털이 없다. 줄기는 가늘고 긴 원기둥으로 붉은 보라색이다. 잎은 붉은색이고 긴 타원형의 구둣주걱 모양으로 잎자루가 짧으며, 원줄기 끝에 5개의 잎이 돌려나기하고, 그 윗부분에서 가지가 5개로 갈라진다. 꽃은 녹황색으로 꽃차례의 끝이 뾰족하거나 둔하다. 열매는 삭과로 둥글고 광택이 나며 3개로 갈라지고, 유독식물이다.

비슷한 식물인 두메대극(*E. fauriei*)은 줄기가 가늘고 잎의 측맥이 희미하며 잎이 모여나고, 가장자리에 흰 부분이 있다.

대극(버들옻, 우독초)

076

| 대극과 |

Euphorbia pekinensis Rupr.

개화기 6월 | 분포 중부 이남 산지

산지에서 자라는 여러해살이풀로 높이는 80cm정도로 곧추 자라지만 밑부분에서 가지가 갈라지고 자르면 유액이 나오며 꼬부라진 털이 있다. 잎은 어긋나고 피침형으로 길이 2.5~2.8cm이며, 양면에 털이 없고 표면은 짙은 녹색이며 뒷면은 흰빛이 돌고 가장자리에 톱니가 있으며 중륵에 흰빛이 돈다. 꽃은 1개의 암꽃과 1개의 수술로 구성된 몇 개의 수꽃이 소총포 안에 들어 있으며 암술대는 3개이고 끝이 2개로 갈라진다. 열매는 삭과로 납작한 구형이고, 사마귀 같은 돌기가 있다.

077 노랑물봉선(노랑물봉숭아)

| 봉선화과 |

Impatiens noli-tangere L.

개화기 8~9월(결실기 : 9월) | 분포 전국 계곡, 냇가

1

산의 물가나 습지에서 자생하는 한해살이풀로 40~50cm 높이로 자란다. 줄기는 물기가 많고 연하며 마디가 특히 두드러진다. 잎은 어긋나고 긴 타원형이며 가장자리에 톱니가 있다. 꽃은 노란색으로 1~2개씩 매달려 피는데 기다란 꿀주머니는 끝이 안쪽으로 감기고 꽃잎 안쪽에는 적갈색 반점이 있다. 열매는 삭과이며 피침형이고 탄력적으로 터지면서 종자가 튀어나온다.

비슷한 식물인 미색물봉선(*I. nolitangere* var. *pallescens*)은 꽃이 연한 노란색이다.

흰물봉선

물봉선(물봉숭아)

078

| 봉선화과 |

Impatiens textori Miq.

개화기 8~9월(결실기 : 9월) | 분포 전국 계곡

산골짜기 냇가에서 자생하는 한해살이풀로 40~60cm 높이로 자란다. 잎은 어긋나고 타원형이며 끝이 뾰족하고 가장자리에 날카로운 톱니가 있다. 꽃은 진한 분홍색이며 고깔 모양으로 꽃잎 뒤쪽의 긴 꿀주머니는 끝부분이 안쪽으로 말린다. 열매는 피침형이며 익으면 터지면서 씨가 나온다.

바로 톡 터져버리는 열매의 특징을 따서 붙여진 이름이며, 꽃말도 '나를 건드리지 마세요' 이다. 비슷한 식물인 흰물봉선(*I. textori* var. *koreana*)은 흰색 꽃이 핀다.

079 졸방제비꽃(졸방나물)

| 제비꽃과 |

Viola acuminata Ledeb.

개화기 5~6월(결실기 : 7~8월) | 분포 전국 산야

산과 들에 나는 여러해살이풀로 30cm 정도 자란다. 잎은 어긋나고 가장자리에 뭉뚝한 톱니가 있으며, 잎자루는 길고, 턱잎은 불규칙하여 가늘게 갈라진다. 꽃은 보통 연한 자주색 또는 흰색으로 잎겨드랑이에서 길게 나오는 꽃자루에 붙고, 좌우상칭으로 입술꽃잎에 자주색 줄무늬가 있으며 꿀주머니는 둥근 주머니 모양이다. 열매는 삭과로 세모진다.

남산제비꽃(남산오랑캐)

080

| 제비꽃과 |

Viola albida var. *chaerophylloides* (Regel) F.Maek.

개화기 4~6월(결실기 : 7~8월) | 분포 전국 산야

산에 자생하는 여러해살이풀로 전체에 털이 거의 없다. 잎은 뿌리에서 모여나고 여러 갈래로 갈라지며 갈래는 다시 찢어지거나 둔한 톱니가 있고 가장자리 맥 위에 잔털이 있거나 없다. 꽃은 흰색으로 잎 사이에 나온 가는 꽃줄기에 달린다. 열매는 삭과로 세모진다.

남산에서 처음 발견되어 붙여진 이름이다. 비슷한 식물인 단풍제비꽃(*V. albida* f. *takahashii*)은 잎이 완전히 갈라지지 않는다.

081 제비꽃(가락지꽃)

| 제비꽃과 |

Viola mandshurica W.Becker

개화기 4~5월(결실기 : 5월) | 분포 전국 산야

양지쪽 풀밭에서 자생하는 여러해살이풀로 15cm 높이로 자란다. 잎은 뿌리 근처에서 모여나고 세모진 달걀형이며 잎자루 위쪽에 날개가 있고 가장자리에는 둔한 톱니가 있다. 꽃은 보라색으로 옆을 향해 피고 뒷부분에 꿀주머니가 발달한다. 열매는 삭과이며 익으면 3쪽으로 갈라지고 씨가 튕겨 나온다.

제비가 올 때쯤 피어서 붙여진 이름이며 또 이 꽃이 필 때쯤 오랑캐가 쳐들어왔는데 꿀주머니의 모양이 변발을 닮았다고 해서 '오랑캐꽃'이라고도 불렀다. 비슷한 식물인 서울제비꽃(*V. seoulensis*)은 잎이 달걀 모양의 긴 타원형이고 끝이 뾰족하고 밑부분은 심장형으로 털이 많다.

고깔제비꽃(고깔오랑캐)

082

| 제비꽃과 |

Viola rossii Hemsl.

개화기 4~5월(결실기 : 5월) | 분포 전국 산지

산지에서 자라는 여러해살이풀이다. 잎은 뿌리에서 2~5개씩 모여 나며 달걀 모양의 심장형으로 끝이 급히 뾰족해지고 길이가 4~7cm이며, 잎자루는 길이가 10~25cm이고, 턱잎은 피침형이다. 꽃은 붉은 보라색으로 10~15cm의 꽃자루 끝에 1개씩 한쪽을 향해 피고, 꿀주머니는 짧고 굵다. 열매는 삭과로 타원형이며 길이가 7~10mm이다.

잎이 나올 때 고깔처럼 말려나와 붙은 이름이다.

083 알록제비꽃(알록오랑캐)

| 제비꽃과 |

Viola variegata Fisch. ex Link

개화기 5~6월(결실기 : 8~9월) | 분포 전국 산야

산과 들에 나는 여러해살이풀로 원줄기가 없고 뿌리에서 잎이 나온다. 잎은 밑동에서 밀생하고 넓은 타원형 또는 심원형이며 두껍고 양면에 털이 있으며 표면에 흰색 얼룩 반점이 있고 뒷면은 자주색이며 가장자리에 둔한 톱니가 있다. 꽃은 자주색으로 1개씩 달리며, 꿀주머니가 길다. 열매는 삭과로 달걀 모양의 타원형이고 3개씩 갈라지며 잔털이 있다.

잎에 알록한 무늬가 있어 붙여진 이름이다.

콩제비꽃(조갑지나물)

084

| 제비꽃과 |

Viola verecunda A.Gray

개화기 4~5월(결실기 : 8~9월) | 분포 전국 산야

들이나 산록의 습한 곳에 자생하는 여러해살이풀로 5~20cm 정도 자라고, 땅속줄기는 짧으며, 땅위줄기는 비스듬히 서거나 누워 있다. 잎은 넓은 심장형이고 잎가장자리에 둔한 톱니가 있으며 턱잎은 피침형 또는 선형이다. 꽃은 흰색이고, 꽃자루가 줄기 끝에 붙는다. 열매는 삭과이다.

잎도 꽃도 매우 작아 붙여진 이름이다.

085 | 바늘꽃과 |

분홍바늘꽃(버들잎바늘꽃)

Epilobium angustifolium L.

개화기 7~8월(결실기 : 8월) | 분포 중부, 북부지방 산지

햇빛이 잘드는 곳에서 자생하는 여러해살이풀로 1~1.5m 높이로 자란다. 뿌리줄기가 옆으로 뻗어 퍼지며 무리지어 자란다. 잎은 어긋나고 피침형이며 끝이 뾰족하고 밑부분이 좁아지며 뒷면은 흰빛이 돈다. 꽃은 총상꽃차례에 달리고 분홍색이며 바늘처럼 긴 씨방 끝에 달려 있고 꽃잎과 꽃받침은 각 4장이다. 열매는 삭과이고 선형으로 길이는 4~8cm이다.

분홍색 꽃이 피며 씨방이 바늘처럼 길어 붙은 이름이다.

구릿대(구리대)

086

| 산형과 |

Angelica dahurica (Fisch. ex Hoffm) Benth. & Hook.f. ex Franch. & Sav.

개화기 7~8월(결실기 : 8월) | 분포 전국 산지

산의 풀밭이나 물가에서 자생하는 여러해살이풀로 1~2m 높이로 자란다. 잎은 긴 타원형으로 2~3회 깃꼴로 갈라지고 잎 끝은 다시 3개로 결각이 지며 잎가장자리에 예리한 톱니가 있고, 잎집은 굵어져서 긴 타원형으로 된다. 꽃은 줄기와 가지 끝의 겹산형꽃차례에 달리며 매우 작고 흰색이며, 작은 꽃대는 20~40개이다. 열매는 분과이며 넓고 평평한 타원형이고 길이 8~9mm로 뒷면의 능선이 맥처럼 가늘고 가장자리 것은 날개형이다.

087 | 산형과 |

참당귀(조선당귀)

Angelica gigas Nakai

개화기 8~9월(결실기 : 10월) | 분포 전국 산야

산야나 골짜기에 나는 여러해살이풀로 1~2m 정도 자라고, 전체에 털이 없으며 자줏빛이 돌고, 뿌리는 크며, 향기가 강하다. 잎은 1~2회 3출 겹잎으로 작은잎은 넓으며 3~5갈래로 갈라지고 가장자리에 톱니가 있다. 꽃은 자주색으로 겹산형꽃차례로 달린다. 열매는 분과로 타원형이고 넓은 날개가 있으며 약간 자주색을 띤다.

대표적인 약용식물로 재배되고 있다.

어수리(개독활)

088

| 산형과 |

Heracleum moellendorffii Hance

개화기 7~8월(결실기 : 9~10월) | 분포 전국 산야

산과 들에서 자라는 여러해살이풀로 70~150cm 정도 자라고, 줄기는 속이 빈 원기둥 모양이다. 잎은 양면과 잎자루에 털이 밀생한다. 꽃은 흰색이고 가지 끝과 줄기 끝에 20~30개의 작은 산형꽃차례로 된 겹산형꽃차례로 달린다. 열매는 분과로 납작한 달걀형이고 위쪽에 무늬가 있으며 털이 없다.

089 참나물(겹참나물)

| 산형과 |

Pimpinella brachycarpa (Kom.) Nakai

개화기 6~8월 | 분포 전국 산지

산지의 나무 그늘에 자라며 여러해살이풀로 높이 50~80cm로 자라고, 전체에 털이 있다. 잎은 3출엽이며 작은잎은 달걀형으로 뾰족하며 가장자리에 톱니가 있다. 꽃은 흰색이며 겹우산꽃차례에 달리고, 작은꽃자루는 10개 정도로 다시 13개 정도의 꽃이 달리고 꽃잎은 5개이다. 열매는 분과로 편평한 타원형이며 길이 2~3mm이다.

가장 맛있는 대표적인 산나물의 하나여서 붙은 이름이다.

노루발(노루발풀)

090

| 노루발과 |

Pyrola japonica Klenze ex Alef.

개화기 6~7월(결실기 : 9월) | 분포 전국 산지

산지의 그늘에 자라는 여러해살이풀로 높이가 20~25cm 정도 자란다. 잎은 밑동에서 밀생하고 넓은 타원형으로 길다. 꽃은 황백색이며 총상꽃차례로 달리고, 씨방은 납작하고 둥근 모양이다. 열매는 삭과로 납작한 원형이며 익으면 5갈래로 갈라지고 갈색으로 된다.

노루가 사냥꾼을 피하게 해준 할아버지를 위해 남겨 놓은 풀이라는 이야기가 전해지는 약용식물이다. 비슷한 식물인 애기노루발(*P. denticulata*)는 잎에 톱니가 있고, 꽃이 황백색이다.

금강봄맞이

091 봄맞이(봄마지꽃)

| 앵초과 |

Androsace umbellata (Lour.) Merr.

개화기 4~5월(결실기 : 5월) | 분포 전국 산야

들에 흔히 나는 두해살이풀로 모든 잎이 뿌리에서 나와 지면으로 퍼진다. 잎은 삼각형의 둔한 톱니가 있고, 전체가 색깔이 연하며 다세포로 된 퍼진 털이 있다. 꽃은 흰색이고, 꽃줄기는 높이가 5~10cm로 1~25개가 모여 나고 꽃줄기 끝에 4~10개의 꽃이 산형꽃차례로 달린다. 열매는 삭과로 거의 둥글고 지름이 4mm이며 윗부분이 5개로 갈라진다.

비슷한 식물인 금강봄맞이(*A. cortusaefolia*)는 꽃줄기 외에 원줄기가 없고 잎에는 털이 없으며 잎은 원심형으로 가장자리가 7~11개로 갈라진다.

큰까치수염(민까치수염)

092

| 앵초과 |

Lysimachia clethroides Duby

개화기 6~8월 | 분포 전국 산야

양지 풀밭에서 자생하는 여러해살이풀로 60~100cm 높이로 자란다. 줄기는 붉은 보라색을 띠고 원줄기는 원기둥 모양으로 전체에 부드러운 털이 있다. 잎은 긴 타원형으로 어긋나며 가장자리가 밋밋하고 털이 있다. 꽃은 줄기 끝에서 한쪽으로 처진 꼬리 모양의 꽃대에 총상꽃차례로 달리고 하얀색이다.

비슷한 식물인 까치수염(*L. barystachys*)은 잎이 둔두 또는 예두이고, 줄기와 더불어 털이 갈색이다.

093 | 앵초과 | 좁쌀풀(가는좁쌀풀)

Lysimachia vulgaris var. *davurica* (Ledeb.) R.Kunth

개화기 6~8월(결실기 : 8월) | 분포 전국 산야

산과 들에 자생하는 여러해살이풀로 40~80cm 정도 자란다. 잎은 마주나거나 간혹 3~4개씩 돌려나고 피침형 또는 좁은 달걀형이며 잎자루가 없다. 꽃은 황색으로 원추꽃차례로 달리고 꽃잎 양면에 노란색 선모가 있다. 열매는 삭과로 구형이고, 끝에 암술대가 남아 있다.

큰앵초

094

| 앵초과 |

Primula jesoana Miq.

개화기 7~8월(결실기 : 8월) | 분포 전국 산지

깊은 산 속 또는 냇가의 습지에 자라는 여러해살이풀로, 전체에 잔털이 있으며, 뿌리줄기가 짧게 옆으로 뻗고 원줄기가 없다. 잎은 뿌리에서 나오고 달걀 모양의 심장형으로 짧은 털이 있으며 가장자리가 7~9개로 얕게 갈라진다. 꽃은 통꽃으로 붉은 보라색이며 잎 사이에서 잎자루의 2배 정도가 되는 꽃줄기가 나와서 그 끝에 1~4층의 꽃이 달린다. 열매는 삭과로 긴 타원형이다.

095 | 앵초과 | 앵초(깨풀)

Primula sieboldii E.Morren

개화기 4~5월(결실기 : 5월) | 분포 전국 산지

산에 자생하는 여러해살이풀로 15~40cm 높이로 자란다. 잎은 뿌리에서 모여나고 길쭉한 달걀형에 주름이 지며 가장자리가 얕게 갈라지고 긴 흰털로 덮여 있으며, 잎자루가 길다. 꽃은 분홍색이고 5~10개가 모여 산형꽃차례로 달리며, 꽃부리는 5갈래로 깊게 갈라지고 수평으로 퍼지며 갈래 조각은 끝이 오목하게 팬다. 열매는 삭과로 둥근형이고 지름은 5mm이다.

비슷한 식물인 설앵초(*P. modesta* var. *fauriae*)는 잎이 갑자기 좁아져서 잎자루가 날개로 되어 있다.

용담

096

| 용담과 |

Gentiana scabra Bunge

개화기 8~10월(결실기 : 10월) | 분포 전국 산야

산과 풀밭에 자생하는 여러해살이풀로 20~60cm 높이로 자란다. 잎은 마주나고 피침형이며 가장자리가 밋밋하고 3개의 큰 잎맥이 있으며 잎자루는 없다. 꽃은 종 모양이며 보라색이고 통꽃인데 끝이 5개로 갈라져 뒤로 젖혀진다. 열매는 삭과로 시든 꽃잎 안에 있다.

뿌리를 약으로 쓰는데 쓴맛이 웅담보다 더하여 '용담'이란 이름이 붙여졌다고 한다. 비슷한 식물인 과남풀(*G. triflora* var. *japonica*)은 잎이 흰빛이 나는 녹색이며 가장자리는 거의 밋밋하고, 꽃받침통은 길이가 20~25mm로 길다.

봄구슬붕이

큰구슬붕이

097 | 용담과 | 구슬붕이(구실봉이)

Gentiana squarrosa Ledeb.

개화기 5~6월(결실기 : 6월) | 분포 전국 산지

2

산지의 양지바른 풀밭에서 자생하는 두해살이풀로 2~10cm의 높이로 자란다. 뿌리잎은 방석처럼 퍼지며 줄기잎은 마주나고 밑부분이 합쳐져서 줄기를 감싼다. 꽃은 종 모양으로 연한 보라색이고, 꽃잎은 5갈래로 갈라져 밖으로 젖혀진다. 긴 자루가 있는 열매는 가을에 익는다.

비슷한 식물인 봄구슬붕이(*G. thunbergii*)는 뿌리에서 돋아난 잎이 있고 꽃은 연한 보라색이며, 큰구슬붕이(*G. zollingeri*)는 뿌리에서 돋아난 잎이 없고, 밑에 달린 잎은 보다 작으며 줄기의 마디 밑에 젖꼭지 같은 돌기가 있다.

민백미꽃(개백미, 민백미)

098

| 박주가리과 |

Cynanchum ascyrifolium (Franch & Sav.) Matsum.

개화기 5~7월(결실기 : 8~9월) | **분포** 전국 산지

산지에서 자라는 여러해살이풀로 30~60cm 정도 자라고, 원줄기는 녹색이며 자르면 흰색 유액이 나오고, 곧게 선다. 잎은 마주나고 달갈형으로 양면에 잔털이 있으며 뒷면 맥 위에는 굽은 털이 있고 가장자리가 밋밋하다. 꽃은 흰색이고 우산형의 꽃차례는 원줄기 끝과 윗부분의 잎겨드랑이에서 나온다. 열매는 골돌과로 뿔 모양이며 털이 없다. 종자는 넓은 달갈형으로 흰색 털이 있다.

비슷한 식물인 백미꽃(*C. atratum*)은 잎의 뒷면에 짧은 털이 밀생하고, 꽃이 어두운 보라색이며, 화관의 겉에는 털이 있고 안쪽에는 털이 없다.

099 솔나물(큰솔나물)

| 꼭두서니과 |

Galium verum var. *asiaticum* Nakai

개화기 6~8월(결실기 : 8월) | 분포 전국 산야

산과 들의 풀밭에서 자생하는 여러해살이풀로 70~100cm 높이로 자란다. 잎은 솔잎처럼 가늘고 짧은 바늘 모양이며 줄기의 마디마다 6~10개씩 돌려난다. 꽃은 줄기 윗부분에서 갈라진 꽃가지마다 달리며 노란색이고 꽃잎은 4갈래이며 작은 꽃이 모여 원뿔형의 꽃송이를 만든다. 열매는 분과로 작은 타원형이며 2개씩 달린다.

잎의 모양이 솔잎 같다 하여 붙여진 이름이다. 어린 순은 나물로 먹는다.

계요등(게뇨등)

100

| 꼭두서니과 |

Paederia scandens (Lour.) Merr.

개화기 7~8월(결실기 : 9~10월) | 분포 전국 산지

산록의 양지 및 골짜기에 나는 덩굴성 여러해살이풀로 윗부분이 겨울 동안에 죽으며, 어린가지에 잔털이 다소 있다. 잎은 마주나고 달갈형 또는 피침형이며 표면은 처음에 털이 있고, 뒷면에는 잔털이 있거나 없으며 가장자리가 밋밋하다. 꽃은 흰색으로, 화관통 안쪽은 자주색이고, 원추꽃차례 또는 취산꽃차례에 달리며 꽃받침은 끝이 5개로 갈라진다. 열매는 삭과로 둥글고 황갈색으로 익으며 털이 없다.

애기메꽃

갯메꽃

101 | 메꽃과 |

메꽃(가는메꽃)

Calystegia sepium var. *japonicum* (Choisy) Makino

개화기 6~8월(결실기 : 9~10월) | 분포 전국 산야

들에 나는 덩굴성 여러해살이풀로, 흰색 땅속줄기가 사방으로 길게 뻗고, 군데군데에서 순이 나와 엉킨다. 잎은 어긋나고 긴 타원의 피침형으로 잎자루가 길다. 꽃은 연한 붉은색이고 잎겨드랑이에 1개씩 달리며 꽃자루가 길고, 꽃받침 밑에 있는 2개의 포는 녹색이고 달걀형이며, 꽃부리는 깔때기 모양이다. 열매를 맺지 않는다.

비슷한 식물인 애기메꽃(*C. hederacea*)은 잎의 길이가 너비보다 길고, 꽃자루는 위쪽에 좁은 날개가 있으며 포는 예두이다. 갯메꽃(*C. soldanella*)은 줄기가 옆으로 뻗으며, 잎은 신원형으로 바닷가에서 자란다.

당개지치(당꽃마리)

102

| 지치과 |

Brachybotrys paridiformis Maxim. ex D.Oliver

개화기 5~6월(결실기 : 6월) | 분포 중부 이북 산지

산지에 자라는 여러해살이풀로 높이는 40cm이다. 뿌리줄기가 옆으로 길게 뻗고 군데군데에서 새싹이 나온다. 잎은 어긋나고 잎자루 밑부분이 넓어져서 원줄기를 감싸며 표면과 가장자리에 긴 흰색 털이 있다. 꽃은 자주색이고 총상꽃차례에 누운 털이 있다. 꽃부리는 꽃받침과 길이가 비슷하다. 열매는 익을 때 꽃자루가 밑으로 처지며 일찍 마른다.

참꽃마리

103 | 지치과 | 꽃마리(꽃따지)

Trigonotis peduncularis (Trevir.) Benth. ex Hemsl.

개화기 4~7월(결실기 : 7월) | 분포 전국 산야

산이나 들에서 자생하는 두해살이풀로 10~30cm 높이로 자란다. 뿌리잎은 타원형이며 잎자루가 길고 뭉쳐나며, 줄기잎은 어긋나고 긴 타원형이며 가장자리가 밋밋하다. 꽃은 하늘색이고 줄기 윗부분에 태엽처럼 말려 있다가 풀어지면서 차례로 피어나며, 꽃부리는 5개로 갈라진다. 열매는 작은 견과로 짧은 대가 있으며 8월에 익는다.

꽃이삭이 태엽처럼 말려 있기 때문에 붙여진 이름이다. 비슷한 식물인 참꽃마리(*T. redicans* var. *serica*)는 여러해살이풀로 꽃의 지름이 6~10mm 정도로 더 크고 잎겨드랑이에 달린다.

누린내풀(구렁내풀)

104
| 마편초과 |

Caryopteris divaricata (Siebold & Zucc.) Maxim.

개화기 7~8월(결실기 : 9~10월) | 분포 전국 산야

산이나 들에 나는 여러해살이풀로 1m 높이로 자란다. 전체에 짧은 털이 있고 고약한 냄새를 풍기며, 줄기는 네모지고 밀생한다. 잎은 마주나고 잎자루가 있으며 끝이 뾰족하고 가장자리에 톱니가 있다. 꽃은 푸른 보라색으로 취산꽃차례이며 드문드문 피고, 꽃이 필 때에는 냄새가 더욱 강하다. 열매는 삭과로 4갈래이다.

꽃은 아름답지만 좋지 않은 누린내가 나서 붙은 이름이다.

105 배초향(방아잎)

| 꿀풀과 |

Agastache rugosa (Fisch. & C. A. Mey.) Kuntze

개화기 7~9월(결실기 : 9월) | 분포 전국 산야

산과 들의 양지쪽에 자생하는 여러해살이풀로 40~100cm 높이로 자란다. 줄기는 네모나고 곧게 서며 윗부분에서 가지가 많이 갈라진다. 잎은 2장씩 마주나고 긴 타원형이며 끝이 뾰족하고 밑은 심장형이며 가장자리에 둔한 톱니가 있다. 꽃은 보라색이고 입술형이며 원통형 꽃이삭에 촘촘히 돌려난다.

비슷한 식물인 꽃향유(*Elsholtzia splendens*)가 있으며 자주색 꽃이 빽빽하게 한쪽으로 치우쳐 피며 수상꽃차례를 이룬다.

금창초(가지조개나물)

106

| 꿀풀과 |

Ajuga decumbens Thunb.

개화기 3~6월(결실기 : 8~10월) | 분포 남부지방 산야

길가에 나는 여러해살이풀로, 줄기는 눕고 온몸에 털이 있다. 잎가장자리에 둔한 물결 모양의 톱니가 있다. 꽃은 자주색 또는 흰색으로 짙은 선이 있고 잎 겨드랑이에 여러 개가 돌려난다. 열매는 소견과로 달걀형이며 그물무늬가 있다.

비슷한 식물인 내장금란초(*A. decumbens* var. *rosa*)는 꽃이 분홍색으로 잎에 윤기가 난다.

107 | 꿀풀과 | 꽃향유(붉은향유)

Elsholtzia splendens Nakai

개화기 9~10월(결실기 : 10월) | 분포 전국 산지

산지에 자라는 여러해살이풀로 높이가 60cm 내외 된다. 원줄기는 사각형이고 잎자루와 더불어 굽은 흰색 털이 줄로 돋아 있다. 잎은 마주나고 달걀형으로 양면에 털이 드문드문 있고, 특히 맥 위에 많으며 뒷면에 선점이 있고 가장자리에 톱니가 있다. 꽃은 빽빽하게 한쪽으로 치우쳐서 달린다.

비슷한 식물인 향유(*E. ciliata*)는 꽃차례의 길이가 5~10cm, 지름 7mm 정도이고, 좀향유(*E. minima*)는 보통 5cm 이하로 자라며 포는 달걀형이다.

광대수염(꽃수염풀)

108

| 꿀풀과 |

Lamium album var. *barbatum* (Siebold & Zucc.) Franch. & Sav.

개화기 5월 | 분포 전국 산야

숲속이나 숲가에서 자생하는 여러해살이풀로 높이는 30~60cm이고, 줄기에 털이 있다. 잎은 마주나며 달걀형에 끝이 뾰족하고 밑은 둥글며 가장자리에 톱니가 있고 주름이 진다. 꽃은 잎겨드랑이마다 5~6개씩 돌려가며 층층으로 피고 흰색의 입술형으로 윗입술 꽃잎은 아래로 굽고 흰 털이 있다. 열매는 분과로 3개의 능선이 있고 달걀형이다.

꽃이 피는 잎자루와 줄기 사이에 긴 수염 같은 돌기가 나 있어 붙여진 이름인 듯하다.

109 광대나물(코딱지풀)

| 꿀풀과 |

Lamium amplexicaule L.

개화기 4~5월(결실기 : 5월) | 분포 전국 산야

밭이나 길가에 나는 두해살이풀로 높이 10~30cm이다. 밑에서 가지가 많이 갈라져 여러 대가 한군데에서 자라며 원줄기는 가늘고 네모지며 자줏빛이 돈다. 잎은 마주나고 가장자리에 톱니가 있다. 꽃은 붉은 보라색이며 잎겨드랑이에서 여러 개의 꽃이 나와 돌려난 것처럼 보인다. 2개의 강한 수술이 있으며 폐쇄화도 흔히 생긴다. 열매는 분과로 3개의 능선이 있으며 거꿀달걀형이고 전체에 흰 반점이 있다.

익모초(개방아)

110

| 꿀풀과 |

Leonurus japonicus Houtt.

개화기 7~8월(결실기 : 8월) | 분포 전국 산야

산과 들에서 자생하는 두해살이풀로 50~100cm 높이로 자란다. 줄기는 흰털이 있으며 백록색이 돌고 가지가 많이 갈라진다. 잎은 2장씩 마주나며 3갈래로 깊게 갈라지고 가장자리에 톱니가 있다. 꽃은 연한 붉은 보라색이며 입술 모양이고 줄기에 층층이 돌려가며 핀다. 열매는 작은 견과로 넓은 달걀형이다.

익모초는 어머니에게 유익한 풀이라는 뜻으로 부인과에 약으로 쓴다. 비슷한 식물인 송장풀(*L. macranthus*)은 여러해살이풀로서 잎은 갈라지지 않고 톱니가 있다.

111 | 꿀풀과 |

벌깨덩굴(벌개덩굴)

Meehania urticifolia (Miq.) Makino

개화기 5월(결실기 : 7~8월) | 분포 전국 산야

산지의 그늘진 곳에 나는 여러해살이풀로 원줄기는 사각형이며 긴 털이 드문드문 있고 옆으로 뻗으면서 마디에 뿌리가 내려 다음해 꽃줄기로 되며 5쌍 정도의 잎이 달린다. 잎은 마주나고 잎자루가 있으며 삼각 모양 심장형 또는 달걀 모양 심장형으로 끝이 뾰족하고, 가장자리에 둔한 톱니가 있다. 꽃은 꽃줄기 윗부분의 잎겨드랑이에 큰 입술형으로 한쪽을 향해 4개 정도 달리고 끝이 5개로 갈라진다. 꽃부리는 자줏빛이 돌고 짙은 자주색 반점이 있으며 긴 흰색 털이 있다.

잎 모양이 깻잎을 닮았다고 해서 벌깨덩굴이라고 이름이 붙여졌다.

꿀풀(가지골나무)

112

| 꿀풀과 |

Prunella vulgaris var. *lilacina* Nakai

개화기 5~7월(결실기 : 7~8월) | 분포 전국 산야

들이나 산기슭 양지에 사는 여러해살이풀로 높이 20~30cm이고 줄기는 네모지며 모여난다. 잎은 마주나고 긴 타원 모양의 피침형이며 길이는 2~5cm이다. 꽃은 보라색이며 이삭꽃차례는 길이 3~8cm로서 꽃이 조밀하게 밀착하여 핀다. 열매는 분과로 길이 1.6mm이고 황갈색이며 7~8월에 익어 꼬투리는 마른 채 가을까지 남아 있다.

꿀이 많아 붙은 이름이다. 한방에서는 여름에 죽는다고 하여 '하고초'라고 부르며 약으로 쓴다.

113 참배암차즈기(토단삼)

|꿀풀과|

Salvia chanryoenica Nakai

개화기 7~9월(결실기 : 9~10월) | 분포 중부지방 산야

산과 들에 나는 여러해살이풀로 높이는 40~50cm이다. 전체에 갈색 털이 많이 나고, 줄기는 네모지며 곧게 서고, 가지가 갈라지지 않는다. 잎은 마주나고, 잎자루는 길며, 달걀 모양의 넓은 타원형으로 가장자리에 둔한 톱니가 있다. 꽃은 노란색으로 줄기 위에 꽃 이삭을 이루며 각 마디에 2~6송이씩 달리고, 마디 사이가 길며, 꽃자루에 포가 있고, 포겨드랑이에 입술 모양의 꽃이 층층으로 나온다.

우리나라 특산식물이다.

미치광이풀(광대작약)

114

| 가지과 |

Scopolia japonica Maxim.

개화기 4~5월(결실기 : 5월) | **분포** 중부 이북 산지

깊은 산의 나무 밑에 나는 여러해살이풀로 높이는 30~60cm이다. 잎은 어긋나고 잎자루가 있으며 달걀형으로 가장자리가 밋밋하지만 밑부분의 잎은 1~2개의 톱니가 있고 털이 없고 연하다. 꽃은 잎겨드랑이에 1개씩 달려서 밑으로 처진다. 꽃부리는 종 모양으로 끝이 5개로 얕게 갈라지고 자줏빛이 도는 노란색이며, 수술은 5개이다. 삭과는 원형이고, 종자는 신장형이며 그물 모양의 무늬가 있다.

희귀식물이며, 비슷한 식물인 노랑미치광이풀(*S. lutescens*)은 꽃이 연한 노란색이고 꽃받침의 하나가 나머지보다 크고 잎 모양이다.

115 | 현삼과 |

꽃며느리밥풀

Melampyrum roseum Maxim.

개화기 7~8월(결실기 : 8월) | 분포 중부지방 산야

1

산에 나는 반기생성 한해살이풀로 높이 30~50cm이고, 줄기는 둔한 네모가 진다. 잎은 마주나고 좁은 달걀형으로 길이는 5~7cm이며 가장자리는 밋밋하다. 꽃은 자주색이고 길이 15~20mm이며 입술형으로 아래 꽃잎에 밥풀 같은 2개의 무늬가 있고 수상꽃차례에 달리고, 가장자리에 1~5쌍의 바늘 같은 톱니가 있으며 꽃받침은 털이 없거나 조금 있다. 열매는 삭과로 달걀형이고 끝이 뾰족하다.

비슷한 식물인 알며느리밥풀(*M. roseum* var. *ovalifolium*)은 꽃차례가 뭉쳐있거나 길어지고 포에는 여러 쌍의 실 같은 톱니가 있다.

나도송이풀

116

| 현삼과 |

Phtheirospermum japonicum (Thunb.) Kanitz

개화기 8~9월(결실기 : 10월) | 분포 전국 산야

산이나 들의 양지에 나는 반기생성 한해살이풀로 높이 30~60cm이다. 전체에 끈끈한 선모가 있으며 가지가 많이 갈라진다. 잎은 마주나고 잎자루가 있으며 달걀형이고 깃 모양으로 깊게 갈라진다. 꽃은 분홍색이고, 가지 끝의 잎겨드랑이에서 나오며, 꽃부리는 통 모양이고, 끝은 입술 모양으로 상순 꽃잎은 짧고, 2갈래로 절반이 말리며, 하순 꽃잎은 3갈래이다. 열매는 삭과로 달걀형이고 끝이 뾰족하다.

1

117 냉초

| 현삼과 |

Veronicastrum sibiricum (L.) Pennell

개화기 7~8월(결실기 : 9~10월) | 분포 전국 산지(제주도 제외)

산지의 습한 곳에 나는 여러해살이풀로 높이는 50~100cm이다. 줄기에는 털이 있다. 잎은 가장자리에 톱니가 있고 잎자루는 없다. 꽃은 붉은 보라색이며, 수술은 2개로 길게 밖으로 나오고, 총상꽃차례이다. 열매는 삭과로 끝이 뾰족한 넓은 달걀형이고 밑부분에 꽃받침이 붙는다.

냉초는 꽃부리의 통부가 열편보다 훨씬 길지만 비슷한 식물인 꼬리풀(*Veronica linariifolia*)은 꽃부리가 수레바퀴같이 퍼지며 통부가 짧고, 잎이 선형 또는 좁은 피침형이며 털이 없거나 적다.

쥐꼬리망초(무릎꼬리풀)

118 | 쥐꼬리망초과 |

Justicia procumbens L.

개화기 7~9월(결실기 : 9월) | 분포 경기도 이남 산야

주로 남부의 들이나 산기슭에 나는 한해살이풀로 높이가 30cm 내외 된다. 전체에 짧은 털이 산재하고, 줄기는 곧게 서며, 마디가 굵고 사각형이다. 잎은 마주나고, 달걀형 또는 긴 타원 모양의 피침형으로 양 끝이 뾰족하며 가장자리는 밋밋하다. 꽃은 연한 붉은 보라색으로 붉은 반점이 있다. 열매는 삭과로 꽃받침과 길이가 비슷하며 선 모양의 긴 타원형이고, 씨는 4개이다.

119 | 연복초과 |

연복초

Adoxa moschatellina L.

개화기 4~5월(결실기 : 5월) | 분포 전국 산지

산지에 나는 여러해살이풀로 높이는 8~17cm이다. 뿌리줄기는 짧고 마디가 다소 짧으며 인편이 드문드문 달리고 포복지가 옆으로 뻗는다. 뿌리에서 돋은 잎은 잎자루가 길고 3~9개의 소엽으로 갈라지며 원줄기의 높이와 비슷하게 자란다. 꽃은 황록색이고 원줄기 끝에 5개 정도 모여 달린다. 열매는 핵과로 3~5개가 모여 달린다.

복수초 근처에서 자라던 것이 복수초를 캘 때 같이 달려 나왔기 때문에 연복초라고 한다.

금마타리(향마타리)

120
| 마타리과 |

Patrinia saniculaefolia Hemsl.

개화기 5~6월(결실기 : 6월) | 분포 중부 이북 산지

산에 나는 여러해살이풀로 높이는 30cm 내외이고 줄기는 곧추선다. 뿌리에서 나오는 잎은 손바닥 모양이며, 줄기에서 나오는 잎은 깃 모양으로 깊게 갈라지고, 결각상의 톱니가 있다. 꽃은 노란색으로 줄기 끝에 모여서 산방꽃차례를 이루고 화관은 종 모양이다. 열매는 타원형으로 날개 모양으로 된 포가 붙어 있다.

희귀식물이며, 비슷한 식물인 돌마타리(*P. rupestris*)는 잎이 깃꼴겹잎으로 표면에 털이 있으며, 젖꼭지 모양의 돌기가 있다.

121

| 마타리과 |

마타리

Patrinia scabiosaefolia Fisch. ex Trevir.

개화기 7~8월(결실기 : 8월) | 분포 전국 산야

산과 들의 양지바른 풀밭에서 자생하는 여러해살이풀로 60~150cm 높이로 자란다. 잎은 줄기에 마주나고 깃꼴겹잎으로 깊게 갈라지며 가장자리에 톱니가 있다. 꽃은 산방꽃차례에 달리고 노란색이며 통꽃은 5갈래로 갈라진다. 열매는 수과로 타원형이며 길이는 3~4mm로 약간 편평하다.

뿌리에서 콩 썩는 냄새가 난다 하여 '패장(敗醬)'이라고 하며 약으로 쓴다.

뚝갈(뚜깔)

122

| 마타리과 |

Patrinia villosa (Thunb.) Juss.

개화기 7~8월(결실기 : 8월) | 분포 전국 산야

산이나 들의 양지바른 곳에 나는 여러해살이풀로 높이가 1m이다. 잎은 마주나고, 단순하거나 깃처럼 갈라지며 양면에 흰털이 드문드문 있고, 표면은 짙은 녹색이며 뒷면은 흰빛이 돌고 가장자리에 톱니가 있으며 밑부분의 것은 잎자루가 있으나 위로 올라가면서 없어진다. 꽃은 흰색이고 가지 끝과 원줄기 끝에 산방꽃차례로 달리며 씨방은 하위이고 3실로 그중 1실만이 열매를 맺는다. 열매는 거꿀달걀형으로 뒷면이 둥글고, 날개는 원심형이다.

123 쥐오줌풀(긴잎쥐오줌)

| 마타리과 |

Valeriana fauriei Briq.

개화기 5~8월(결실기 : 8월) | 분포 전국 산지

산의 풀밭이나 그늘진 곳에서 자생하는 여러해살이풀로 40~80cm 높이로 자란다. 땅속의 뿌리줄기가 옆으로 뻗으며 뿌리에서 강한 향기가 난다. 잎은 마주나고 깃꼴겹잎이며, 작은잎은 가장자리에 톱니가 있다. 꽃은 분홍색이며 길이 5~7mm로 작고 끝이 5개로 갈라지며 산방상꽃차례로 달린다. 열매는 피침형이며 길이 4mm 정도이다.

뿌리에서 강한 냄새가 나며 그 냄새가 쥐 오줌과 같다 하여 붙여진 이름이다.

도라지모시대

모시대(모싯대)

124

| 초롱꽃과 |

Adenophora remotiflora (Siebold & Zucc.) Miq.

개화기 8~9월(결실기 : 9월) | 분포 전국 깊은 산

산의 숲속에서 자생하는 여러해살이풀로 40~100cm 높이로 자란다. 잎은 어긋나고 달걀형이며 끝이 뾰족하고 밑은 얕은 심장형이며 가장자리에 톱니가 있고, 잎자루가 길고 위로 갈수록 짧아진다. 꽃은 좁은 종 모양으로 보라색이고, 엉성한 원추꽃차례에 아래를 보고 핀다.

비슷한 식물인 도라지모시대(*A. grandiflora*)는 꽃이 넓은 종 모양이며 길이 4cm이다.

125

| 초롱꽃과 |

층층잔대

Adenophora verticillata Fisch.

개화기 7~9월 | 분포 중부, 북부지방 산야

산야에 나는 여러해살이풀로, 높이는 40~120cm이다. 뿌리가 굵고, 줄기는 곧추서며 전체에 털이 있다. 잎은 돌려나거나 또는 어긋나고 긴 타원형, 달걀 모양의 타원형 또는 선 모양의 피침형으로 양 끝이 좁아지며, 가장자리에 톱니가 있고, 잎몸은 짧거나 없다. 꽃은 7~9월에 하늘색으로 피고 줄기 끝에 원추꽃차례로 달린다. 열매는 삭과이다.

영아자(여마자)

126

| 초롱꽃과 |

Asyneuma japonicum (Miq.) Briq.

개화기 7~9월(결실기 : 10~11월) | 분포 전국 산야

주로 산골짜기 낮은 지대에 나는 여러해살이풀로 높이는 50~100cm이다. 줄기에 세로로 능선이 있고 전체에 털이 약간 있다. 잎은 어긋나고 양 끝이 좁으며 표면에 털이 약간 있고 가장자리에 톱니가 있다. 꽃은 자주색으로 모여서 달리고, 꽃차례는 밑부분에서 갈라지며 털이 없다. 열매는 삭과이고 세로맥이 뚜렷하게 나타난다.

127 초롱꽃

| 초롱꽃과 |

Campanula punctata Lam.

개화기 6~8월(결실기 : 8월) | 분포 전국 산지

산의 풀밭이나 숲에서 자라는 여러해살이풀로 30~80cm 높이로 자라며, 전체에 퍼진 털이 촘촘히 난다. 뿌리잎은 잎자루가 길고 잎몸은 달걀 모양의 심장형이며, 줄기잎은 어긋나고 세모진 달걀형으로 가장자리에 불규칙하고 둔한 톱니가 있다. 꽃은 초롱 모양으로 유백색이며 밑을 향해 핀다. 열매는 삭과이다.

기다란 원통형 꽃이 밤에 불을 밝히는 초롱과 모양이 비슷해서 붙여진 이름이다. 비슷한 식물인 섬초롱꽃(*C. takesimana*)은 울릉도에서 자라며 꽃이 연한 자주색 바탕에 짙은 반점이 있다.

더덕(참더덕)

128

| 초롱꽃과 |

Codonopsis lanceolata (Siebold & Zucc.) Trautv.

개화기 8~9월 | 분포 전국 산야

숲속에서 자생하는 덩굴성 여러해살이풀로 2m 길이로 자란다. 줄기나 잎을 자르면 우유 같은 흰 즙이 나온다. 잎은 어긋나고 긴 타원형이며 가지 끝에 4개의 잎이 모여 달린 것처럼 보인다. 꽃은 연녹색 종 모양으로 밑을 향해 피며, 꽃잎은 끝이 5개로 얕게 갈라져서 뒤로 말리고 꽃잎 안쪽에 짙은 갈색 반점이 있다. 열매는 삭과로 원추형이고, 꽃받침이 남아 있다.

비슷한 식물인 만삼(*C. pilosula*)은 잎에 털이 있고, 잎자루가 길며 종자에 날개가 없다.

129 금강초롱꽃(금강초롱)

| 초롱꽃과 |

Hanabusaya asiatica Nakai

개화기 8~10월(결실기 : 10월) | 분포 강원도(설악산, 오대산)

높은 산 속이나 바위틈에서 자라는 여러해살이풀로 30~90cm 높이로 자란다. 잎은 줄기 가운데에 4~6개가 촘촘히 어긋나기 때문에 돌려난 것같이 보이며, 긴 달걀형의 잎은 잎자루가 길고 끝이 뾰족하며 가장자리에 톱니가 있다. 줄기 윗부분 원추꽃차례에 초롱 모양의 자주색 꽃이 밑을 향해 핀다. 열매는 10월에 익는다.

금강산에서 처음 발견되어 붙여진 이름이다. 우리나라에만 자라는 특산식물이며 희귀식물이다.

도라지(길경)

130

| 초롱꽃과 |

Platycodon grandiflorum (Jacq.) A.DC.

개화기 7~8월(결실기 : 8월) | 분포 전국 산야

산과 들에서 자생하는 여러해살이풀로 40~100cm 높이로 자란다. 줄기를 자르면 우유 같은 흰 즙이 나온다. 잎은 아래는 마주나지만 위쪽 잎은 어긋나거나 3개씩 돌려나고 긴 달걀형이며 뒷면은 회청색이다. 꽃은 봉오리가 공처럼 부풀어 터지면서 벌어지고 넓은 종 모양이며 보라색 또는 흰색이고 5개로 갈라진다. 열매는 삭과로 원추형이고 꽃받침이 남아 있다.

비슷한 식물인 백도라지(*P. grandiflorum* f. *albiflorum*)는 흰색 꽃이 핀다.

131 | 국화과 |

톱풀(가새풀)

Achillea alpina L.

개화기 7~10월(결실기 : 10월) | 분포 전국 산야

산과 들의 풀밭에서 자생하는 여러해살이풀로 50~120cm 높이로 자란다. 줄기 윗부분에 털이 많으며 밑부분은 털이 없다. 잎은 어긋나며 넓은 피침형이고 양쪽 가장자리가 톱니처럼 규칙적으로 갈라져 있으며 밑부분이 줄기를 반쯤 둘러싼다. 꽃은 흰색의 두상화로 산방꽃차례에 달린다. 열매는 수과로 길이는 3mm이다.

톱풀은 잎이 하나로 되어 갈라지지 않았지만, 서양톱풀(*A. millefolium*)은 겹잎으로 되어 있다.

멸가치(명가지)

132

| 국화과 |

Adenocaulon himalaicum Edgew.

개화기 8~10월(결실기 : 8~10월) | 분포 전국 산야

산이나 들의 음습지에 나는 여러해살이풀로 높이가 50~100cm이다. 잎은 가장자리에 결각 모양의 톱니가 있다. 꽃은 흰색 또는 연한 붉은색으로, 가지 끝에 원추꽃차례로 달리며, 화경이 길다. 열매는 수과이며 방사상으로 배열되고, 거꿀달걀형으로 관모는 없고, 검은 보라색의 선모가 있다.

133 | 국화과 |

단풍취(괴발딱지)

Ainsliaea acerifolia Sch.Bip.

개화기 7~9월(결실기 : 10~11월) | 분포 전국 산야

산과 들에 나는 여러해살이풀로 높이는 30cm이고, 전체에 엷은 갈색 털이 있다. 잎의 양면과 잎자루에 털이 있다. 꽃은 흰색으로 밑둥에서 1개씩 나온 꽃줄기에 달린다. 열매는 수과이며 넓은 타원형으로 자주색 바탕에 선이 있고 관모는 갈색 또는 자줏빛을 띤 갈색이다.

잎이 단풍잎을 닮은 국화과 식물이어서 붙은 이름이다.

개미취

까실쑥부쟁이(껄큼취)

134 | 국화과 |

Aster ageratoides Turcz.

개화기 8~10월(결실기 : 9~10월) | 분포 전국 산야

산과 들에 나는 여러해살이풀로 높이는 1m 내외 된다. 뿌리줄기는 뻗으며 번식하고, 줄기는 윗부분에서 갈라지며 꺼칠꺼칠하다. 잎은 가장자리에 톱니가 있으며 위로 갈수록 작아진다. 두상화는 연한 자주색 또는 연한 보라색이다. 열매는 수과로 털이 있고, 관모는 자갈색 또는 흰색이다.

까실쑥부쟁이는 소화의 화상 가장자리가 잘게 갈라지며 두화는 옅은 자주색이지만, 개미취(*A. tataricus*)는 소화의 화상 가장자리가 밋밋하며 총포편이 옅은 홍색이다.

개미취

135 | 국화과 | 벌개미취(고려쑥부쟁이)

Aster koraiensis Nakai

개화기 6~9월(결실기 : 10월) | 분포 전국 산야

산이나 들에 자생하는 여러해살이풀로 50~90cm 높이로 자란다. 잎은 어긋나고 길쭉하며 잎 끝이 뾰족하며 밑부분이 점차 좁아져서 잎자루처럼 되며 가장자리에 잔톱니가 있다. 꽃은 줄기 끝에 두상꽃차례에 달리며 보라색이고 지름은 4~5cm이다. 열매는 수과로 긴 타원형이고 길이는 0.4cm 정도이며 관모가 없다.

우리나라 특산식물로 영어 이름도 '코리안 데이지'이다. 비슷한 식물인 개미취(*A. tataricus*)는 키가 더 크게 자라며 가지 끝이 여러 개로 갈라져 두상꽃차례가 달리고 열매에 관모가 있다.

갯쑥부쟁이

136

| 국화과 |

Aster hispidus Thunb.

개화기 7~10월(결실기 : 9~10월) | 분포 전국 산야

산과 들의 건조한 곳에 나는 두해살이풀로 높이는 50~100cm이며, 줄기는 곧게 서고, 가지를 치며, 털이 있다. 잎은 어긋나고 밑의 잎은 타원형이며 꽃이 필 때 말라죽고, 위의 잎은 피침형으로 촘촘히 달리며 톱니가 있거나 없고 표면은 녹색이며 뒷면은 옅은 녹색으로 양면이 모두 거칠고 가죽질이다. 두상화는 푸른 보라색이다. 열매는 수과로 달걀형이며 털이 있다. 관모는 적갈색 또는 흰색으로 관상화의 관모는 길고, 혀 모양의 꽃은 관모가 짧다.

137 | 국화과 | 참취(나물취)

Aster scaber Thunb.

개화기 8~10월(결실기 : 11월) | 분포 전국 산지

산과 들에 나는 여러해살이풀로 1~1.5m 높이로 자라고 전체가 거칠거칠하다. 뿌리잎은 잎자루가 길며 심장형이고, 줄기잎은 어긋나는데 밑부분의 것은 날개가 있는 긴 잎자루가 있으며 심장형으로 길이 9~24cm이고 가장자리에 이빨 모양의 이중톱니가 있다. 꽃은 흰색이고 지름 18~24mm의 두상꽃차례가 달린다. 열매는 수과로 피침형이고 길이 3~3.5mm이며, 관모는 흑백색이다.

취나물 중에서 가장 맛있고 대표적이어서 붙은 이름이다.

가새쑥부쟁이

쑥부쟁이(권영초)

138

| 국화과 |

Aster yomena (Kitam.) Honda

개화기 7~10월(결실기 : 10월) | 분포 전국 산야 습지

산과 들의 습기가 있는 곳에 자라는 여러해살이풀로 30~100cm 높이로 자란다. 줄기는 녹색 바탕에 자줏빛이 돈다. 잎은 어긋나고 피침형이며 털이 없고, 가장자리에 굵은 톱니가 있으며 위로 올라갈수록 점차 작아지고 가늘어진다. 꽃은 가장자리 혀 모양의 꽃은 연보라색이며, 안쪽의 통 모양의 꽃은 노란색으로, 두상꽃차례에 달리며 지름이 2.5cm이다. 열매는 수과로 달걀형이고 관모는 길이 0.5mm이다.

쑥을 캐러 다니는 불쟁이(대장장이) 딸의 전설에서 유래되었다. 비슷한 식물인 가새쑥부쟁이(*A. incisus*)는 잎이 깊게 갈라지며 톱니가 있고 관모는 길이 0.5~1mm이다.

139 | 국화과 |

삽주(백출)

Atractylodes ovata (Thunb.) DC.

개화기 7~10월(결실기 : 10월) | 분포 전국 산지

산의 양지바르고 건조한 땅에서 자생하는 여러해살이풀로 30~100cm 높이로 자란다. 잎은 어긋나고 타원형으로 끝이 뾰족하며 가장자리에 짧은 바늘 같은 가시가 있고 앞면은 광택이 있으며 뒷면은 흰빛이 돌고, 밑부분의 잎은 3~5갈래로 갈라지고 윗부분의 잎은 갈라지지 않는다. 꽃은 흰색으로 두상꽃차례에 달리고 위를 향해 피며, 총포에 가시모양의 포가 있다. 열매는 수과로 타원형이며 털이 있다.

조뱅이(자라귀)

140

| 국화과 |

Breea segeta (Willd.) Kitam.

개화기 5~8월(결실기 : 9~10월) | 분포 전국 산야

들이나 밭에 나는 여러해살이풀로 높이가 20~40cm이다. 줄기는 줄이 있고 자줏빛을 띠며 윗부분에 가지가 적게 갈라지고 털이 있거나 없다. 뿌리에서 나오는 잎은 꽃이 필 때 쓰러지며 잎가장자리에 둔한 톱니가 있다. 꽃은 자주색 또는 흰빛을 띤 분홍색으로 암수딴그루이다. 열매는 수과이고, 칙칙한 흰색이다.

큰엉겅퀴

141 | 국화과 | 엉겅퀴(가시나물)

Cirsium japonicum var. *maackii* (Maxim.) Matsum.

개화기 6~8월(결실기 : 8월) | 분포 전국 산야

산과 들의 풀밭에서 자생하는 여러해살이풀로 50~100cm 높이로 자라며, 줄기와 잎에 털이 있다. 잎은 어긋나고 긴 타원형이며 새깃처럼 갈라지고, 밑부분은 줄기를 감싸며 갈라진 잎의 가장자리는 다시 갈라지고 끝에 날카로운 가시가 있다. 꽃은 두상꽃차례에 달리고 진분홍색이다. 열매는 수과이며, 관모는 누런색이다.

출혈을 멈추게 하는 효과, 즉 피를 엉기게 하는 효과가 있기 때문에 붙여진 이름이다. 비슷한 식물인 큰엉겅퀴(*C. pendulum*)는 꽃송이가 밑으로 처지고 꽃부리 통부의 좁은 부분이 다른 부분보다 1.5~2.5배 정도 길다.

고려엉겅퀴(곤드레)

142

| 국화과 |

Cirsium setidens (Dunn) Nakai

개화기 7~10월(결실기 : 10월) | **분포** 전국 높은 산지

높은 산의 풀밭에서 자생하는 여러해살이풀로 1m 높이로 자란다. 잎은 어긋나고 달걀형이며 끝이 뾰족하고 가장자리에 가시 같은 톱니가 있으며, 표면은 녹색이고 털이 약간 있으며 뒷면은 흰빛이 돌고 털이 없다. 꽃은 연한 자주색의 두상꽃차례가 위를 향해 핀다. 열매는 수과로 긴 타원형이다.

고려엉겅퀴는 이름에서도 알 수 있듯이 '우리나라에만 자생하는 엉겅퀴', 즉 우리나라 특산식물이다. 강원도에서 '곤드레'라는 이름으로 더욱 잘 알려져 밥을 지어 먹는다.

143 | 국화과 |

고들빼기(빗치개씀바귀)

Crepidiastrum sonchifolium (Bunge) Pak & Kawano

개화기 5~9월(결실기 : 7~10월) | 분포 전국 산야

산과 들, 특히 밭 근처에 나는 두해살이풀로 높이는 18~20cm이고 줄기는 자주빛이 돈다. 뿌리잎은 잎자루가 없으며 가장자리는 갈라져 빗살 모양이고, 줄기잎은 불규칙한 결각 모양의 톱니가 있으며 위로 갈수록 작아진다. 두상화는 노란색으로 가지 끝에 산방형으로 달린다. 열매는 수과이고 편평한 원주형이며 검은색으로 익는다.

감국

산국(개국화)

144

| 국화과 |

Dendranthema boreale (Makino) Ling ex Kitam.

개화기 9~10월(결실기 : 10월) | 분포 전국 산야

산에 나는 여러해살이풀로 높이 1~1.5m이고 짧은 흰색 털이 많다. 잎은 어긋나고 줄기잎은 긴 타원형으로 길이 5~7cm이고 깃꼴로 갈라지며 가장자리에 예리한 톱니가 있고, 잎자루는 1~2cm이다. 꽃은 두상화로 산형화서처럼 달리는데 노란색이고 지름이 1.5cm 이다. 열매는 수과로 길이 1mm 정도 되며, 관모가 없다.

산에 피는 야생의 국화여서 붙은 이름이다. 꽃잎은 약, 향료, 차의 원료가 된다. 비슷한 식물인 감국(*D. indicum*)은 꽃차례의 지름이 2.5cm로 보다 크고 꽃은 산방화서에 달린다.

145 | 국화과 | 산구절초(가는잎구절초)

Dendranthema zawadskii (Herb.) Tzvelev

개화기 7~10월(결실기 : 10~11월) | 분포 전국 산지

산중턱 이상에 나는 여러해살이풀로 높이는 10~60cm이다. 잎은 어긋나고 넓은 달걀형으로 양면에 선점이 있으며 털이 있거나 없다. 두상화는 흰색, 연분홍색 또는 붉은색으로 혀 모양의 꽃은 1줄로 배열된다. 열매는 수과이고 긴 타원형의 5개의 줄이 있다.

비슷한 식물인 구절초(*D. zawadskii* var. *latilobum*)는 식물체에 털이 조금 있거나 많다. 잎의 측열편은 흔히 4개로 갈라지고 열편 가장자리는 톱니같이 갈라진다.

갯금불초

금불초(들국화)

146

| 국화과 |

Inula britannica var. *japonica* (Thunb.) Franch. & Sav.

개화기 7~9월 | 분포 전국 산야

산과 들에 나는 여러해살이풀로, 줄기는 곧추서고 누운털이 있거나 없다. 뿌리잎은 작고 꽃이 필 때 마르며, 줄기잎은 어긋나고 넓은 긴 타원형으로 길이는 5~10cm이고 끝은 뾰족하며 밑이 줄기를 감싸고 가장자리는 밋밋하며 양면에 누운털이 있거나 없다. 꽃은 노란색으로 가지와 줄기 끝에 산방형으로 달리며 두화는 지름이 3~4cm이고, 총포는 가장자리에 털이 있다. 열매는 수과로 10개의 능선과 털이 있으며, 관모는 길이 5mm이다.

비슷한 식물인 갯금불초(*Wedelia prostrata*)는 관모는 접시 또는 술잔형이고, 꽃줄기는 길이 6~12mm이다.

선씀바귀

좀씀바귀

147 | 국화과 | 씀바귀(꽃씀바귀)

Ixeridium dentatum Thunb. ex Mori Tzvelev

개화기 5~6월 | 분포 전국 산야

산과 들에서 자생하는 여러해살이풀로 20~50cm 높이로 자라고, 줄기나 잎을 자르면 흰 즙이 나온다. 뿌리잎은 긴 타원형으로 가장자리에 이빨 모양의 톱니가 있으며, 줄기잎은 어긋나고 끝이 뾰족한 긴 타원형으로 밑부분이 줄기를 감싼다. 꽃은 노란색이고, 혀 모양의 꽃이 5~6개로 지름 1.5cm이며 두상꽃차례를 만들고 다시 모여 산방꽃차례로 달린다. 열매는 수과이고 10개의 능선이 있다.

비슷한 식물인 선씀바귀(*Ixeris strigosa*) 꽃은 흰바탕에 자줏빛이 돌고 뿌리에서 돋는 잎은 뒤집어진 창 모양이며 톱니가 있고, 좀씀바귀(*Ixeris stolonifera*)는 잎이 달걀 모양 또는 넓은 타원형이다.

왕고들빼기

148

| 국화과 |

Lactuca indica L.

개화기 7~9월(결실기 : 10~11월) | 분포 전국 산야

산이나 들에 자라는 한두해살이풀로 높이는 80~150cm이다. 뿌리에서 자라는 잎은 꽃이 필 때 없어지고, 줄기에서 자라는 잎은 어긋나며 불규칙하고 깊게 갈라지며 표면은 녹색이고 뒷면은 분백색으로 털이 없다. 두상화는 연한 노란색으로 원추꽃차례로 달리며, 총포는 원통 모양으로 총포편에는 털이 없고 약간 자줏빛이 돈다. 열매는 수과로 편평한 타원형이며, 1개의 능선이 있고, 관모는 흰색이다.

149 솜나물(까치취)

| 국화과 |

Leibnitzia anandria (L.) Turcz.

개화기 3~9월 | 분포 전국 산야

산과 들의 건조한 풀밭에서 자생하는 여러해살이풀로 30~60cm 높이로 자란다. 잎은 뿌리에서 모여나고 달걀형이며 뒷면에 흰털이 빽빽이 나 있다. 꽃은 2번 피는데 봄꽃은 약간 흰색이며 두상꽃차례에 달리고 지름이 2cm 정도이며 꽃잎 뒷면은 붉은빛이 돌고, 가을꽃은 폐쇄화로 꽃잎이 벌어지지 않는다. 열매는 수과로 길이 6mm 정도이고 누런색 솜털이 달린 씨는 둥근공 모양을 이룬다.

식물 전체에 솜 같은 흰털이 많고 나물로 먹을 수 있어 붙은 이름이다.

곰취(왕곰취)

150

| 국화과 |

Ligularia fischeri (Ledeb.) Turcz.

개화기 7~9월 | 분포 전국 깊은 산지

주로 깊은 산지에서 나는 여러해살이풀로 높이 1~2m 정도 자란다. 줄기는 홈이 있고 거미줄 같은 털이 많다. 뿌리잎은 심장형이고 길이 32cm 정도로 가장자리에 규칙적인 톱니가 있고, 줄기잎은 보통 3개가 달리고 잎자루의 아랫부분이 줄기를 감싼다. 꽃은 노란색으로 두상꽃차례에 달리며 지름이 4~5cm이고, 혀 모양의 꽃은 5~9개이다. 열매는 수과로 원통형이다.

대표적인 산나물의 하나이다. 비슷한 식물인 곤달비(*L. stenocephala*)는 혀 모양의 꽃이 1~3개 달린다.

151 | 국화과 |

머위(머구)

Petasites japonicus (Siebold & Zucc.) Maxim.

개화기 4~5월(결실기 : 5월) | 분포 남부지방 습지

산과 들의 습한 곳에서 자생하는 여러해살이풀로 10~20cm 높이로 자란다. 잎은 긴 타원형이고 가장자리에 치아 모양의 톱니가 있으며 전체에 꼬부라진 털이 나 있고, 뿌리잎은 잎자루가 길고 둥그스름하다. 꽃은 잎보다 먼저 나와 피고 두상꽃차례가 공처럼 둥글게 모여 피며, 연한 노란색이다. 열매는 수과이고 원통형이며 길이는 3.5mm이다.

머위는 털이 있지만, 비슷한 식물인 털머위(*Farfugium japonicum*)는 잎에 털이 없다.

빼꾹채

152 | 국화과 |

Rhaponticum uniflorum (L.) DC.

개화기 6~9월(결실기 : 9~10월) | 분포 전국 산야

산이나 들의 건조한 양지에 자라는 여러해살이풀로 높이는 1m이다. 줄기 전체에 솜털이 나고 가지는 없다. 잎은 긴 타원형으로 끝이 둔하며 깃 모양으로 깊게 갈라지고 갈래는 6~8쌍으로 서로 떨어져 있으며 흰털이 밀생하고 가장자리에 거친 톱니가 있다. 꽃은 두상화로 붉은 보라색이며 줄기 끝에 1개씩 곧게 달리고, 총포는 반구형으로 총포편은 6줄로 배열된다. 열매는 수과로 긴 타원형이다.

153 각시취(가는각시취)

| 국화과 |

Saussurea pulchella (Fisch.) Fisch.

개화기 8~10월(결실기 : 10월) | 분포 전국 산야

2

산이나 들의 양지바른 곳에 자생하는 두해살이풀로 30~150cm까지 자란다. 줄기에는 세로로 주름과 잔털이 있으며 윗부분에서 가지가 많이 갈라진다. 잎은 어긋나며 타원형이고 길이 12~18cm이며, 줄기 밑부분의 잎은 가장자리가 새깃처럼 깊게 갈라진다. 꽃은 줄기 윗부분에 여러 개의 둥근 분홍색 꽃송이가 위를 향해 달린다.

어린순은 나물, 꽃꽂이 소재로 쓴다. 비슷한 식물인 큰각시취(*S. japonica*)는 잎 길이가 20~35cm로 크고 우편 결각에 거치가 있다.

진득찰(민진득찰)

154

| 국화과 |

Sigesbeckia glabrescens Makino

개화기 8~9월(결실기 : 9월) | 분포 전국 산야

들이나 길가에 나는 한해살이풀로 높이는 60cm 내외 되고, 전체에 짧은 털이 성기게 난다. 잎은 마주나고 약간 소형으로 잎자루가 있으며 가장자리에 톱니가 있고 3맥이다. 꽃은 노란색이고, 두상꽃차례가 취산상 원추꽃차례를 이루며, 총포편은 5장으로 안쪽에 융모가 많이 있다. 열매는 수과로, 익으면 떨어져 나가 다른 것에 붙어서 운반되고 흩어진다.

1

155 | 국화과 | 미역취(돼지나물)

Solidago virgaurea subsp. *asiatica* Kitam. ex Hara

개화기 7~10월(결실기 : 10월) | 분포 전국 산야

산과 들의 풀밭에 자생하는 여러해살이풀로 30~80cm 높이로 자란다. 잎은 어긋나고 긴 타원형이며 끝이 뾰족하고 가장자리에 톱니가 있으며, 잎자루 윗부분에 날개가 있다. 꽃은 노란색으로 두상꽃차례에 달리고 다시 전체적으로 커다란 꽃이삭을 만든다. 열매는 수과로 원통형이고 털이 거의 없다.

잎으로 국을 끓이면 미역국 같다고 해서 붙여진 이름이다.

우산나물(대청우산나물)

156

| 국화과 |

Syneilesis palmata (Thunb.) Maxim.

개화기 6~10월(결실기 : 10~11월) | **분포** 전국 산야

주로 깊은 산이나 물가가 있는 곳에 나는 여러해살이풀로 높이는 60~90cm이고, 전체에 털이 없으며 줄기는 곧게 선다. 잎은 어긋나고 방패 모양이며 손바닥 모양으로 5~9갈래로 갈래의 끝이 날카롭고 2회 2개씩 갈라지며, 가장자리에 날카로운 톱니가 있고, 뒷면은 흰색이다. 뿌리에서 나오는 잎은 잎자루가 길고, 줄기에서 나오는 잎은 보통 2장으로 잎자루가 짧다. 두상화는 흰색으로 모두 관상화이다. 열매는 수과로, 관모는 엷은 갈색이다.

157 수리취(개취)

| 국화과 |

Synurus deltoides (Aiton) Nakai

개화기 9~10월(결실기 : 11월) | 분포 전국 산야

산이나 들에 나는 여러해살이풀로 높이는 50~100cm이다. 줄기는 길고 굵으며, 흰 솜털이 밀생한다. 줄기에서 나오는 잎은 어긋나고 달걀 모양의 긴 타원형으로 끝이 뾰족하며 밑은 원형이고 표면에 꼬불꼬불한 털이 있으며 뒷면에 흰 솜털이 밀생하고 가장자리에는 결각 모양의 톱니가 있다. 두상화는 자주색 또는 흰색이고 줄기나 가지 끝에서 밑을 향해 달린다. 열매는 수과로 관모는 갈색이다.

산민들레

서양민들레

민들레(안질방아)

158

| 국화과 |

Taraxacum platycarpum Dahlst.

개화기 4~5월(결실기 : 5월) | 분포 전국 산야

양지쪽 풀밭에 자생하는 여러해살이풀로 30cm 크기로 자란다. 잎은 선형이며 새깃 모양으로 갈라지고 길이는 6~15cm이다. 꽃은 두상꽃차례에 달리고 노란색이며 총포가 뒤로 젖혀지지 않고 바로 서며 작은 돌기가 있다. 열매는 수과로 꽃이 시든 자리에서 씨앗의 날개가 돋아나 하얗고 둥근 모양으로 부푼다.

비슷한 식물인 산민들레(*T. ohwianum*)는 꽃싸개에 돌기가 발달하지 않으며, 위를 향한다. 서양민들레(*T. officinaie*)는 꽃싸개가 뒤로 젖혀진다.

159 솜방망이(구설초)

| 국화과 |

Tephroseris kirilowii (Turcz. ex DC.) Holub

개화기 5~6월(결실기: 6월) | 분포 전국 산야

산과 들의 풀밭에서 자생하는 여러해살이풀로 20~65cm 높이로 자란다. 땅속줄기는 짧고 전체에 솜털이 나 있다. 잎은 긴 타원형이고 위로 갈수록 작아지며 가장자리는 밋밋하나 잔톱니가 있다. 꽃은 노란색이며 지름 2~4cm 두상꽃차례에 달리고 이는 다시 몇 개씩 모여 달린다. 열매는 수과로 털이 있다.

방망이처럼 길쭉한 줄기와 식물 전체에 거미줄 같은 흰털로 덮여 있어서 붙여진 이름이다.

산마늘

160

| 백합과 |

Allium microdictyon Prokh.

개화기 5~7월(결실기 : 7월) | 분포 중부 이북의 깊은 산

산지 숲속에서 자생하는 여러해살이풀로 40~70cm 높이로 자란다. 잎은 뿌리에서 모여 달리고 가장자리가 밋밋하며 밑부분은 잎집으로 되어 서로 둘러싸고 윗부분에 어두운 보라색 점이 있다. 꽃은 흰색이며 줄기 끝에 산형꽃차례로 달리고, 포는 달걀형이며 2개이다. 열매는 삭과이며 거꾸로 된 심장형이다.

희귀식물로, 산에서 자라며 마늘과 같은 집안 식물이므로 강한 마늘 냄새가 나서 붙은 이름이며 귀한 나물이다. 비슷한 식물인 울릉산마늘(*A. ochotense*)은 울릉도에서 자라며, 잎이 넓고 크며 울릉도 특산식물로 명이라고도 부른다.

산부추

161 두메부추(두메달래)

| 백합과 |

Allium senescens L.

개화기 8~9월(결실기 : 9~10월) | 분포 함경북도(백두산, 관모봉), 울릉도

산지에서 자라는 여러해살이풀로 20~30cm로 자라며, 비늘줄기는 타원형으로 외피가 얇은 막질로 섬유가 없다. 잎은 대개 뿌리에서 자라고 선형이며 잎의 단면은 반원기둥 모양이다. 꽃은 연한 붉은 보라색이고 산형꽃차례이며 세로로 날개가 있고, 수술은 6개로 수술대의 밑이 넓고 톱니는 없다. 열매는 삭과로 공 모양이며 종자는 검다.

비슷한 식물인 산부추(*A. thunbergii*)는 꽃이 하늘색이며 소화경이 화피의 길이보다 길다.

은방울꽃(영란)

162

| 백합과 |

Convallaria keiskei Miq.

개화기 4~5월(결실기 : 5월) | 분포 전국 산지

산의 숲속에서 자생하는 여러해살이풀로 20~30cm 높이로 자란다. 긴 타원형의 잎은 2~3장이 뿌리에서 나오고 길이 12~18cm로 크고 가장자리가 밋밋하다. 꽃은 비스듬히 휘어지는 꽃줄기 윗부분에 은방울 모양의 흰색 꽃이 조롱조롱 매달려 밑을 보고 피며 꽃잎 끝은 6갈래로 갈라져 있고 뒤로 살짝 말려 있다. 열매는 장과로 둥글며 붉게 익는다.

방울 같은 흰 꽃이 피어서 붙은 이름이다.

163 | 백합과 | 애기나리(가지애기나리)

Disporum smilacinum A.Gray

개화기 4~5월(결실기 : 5월) | 분포 전국 산지

산지의 숲속에 나는 여러해살이풀로 15~40cm 높이로 자란다. 잎은 어긋나고 타원형으로 길이 4~7cm이고 끝이 뾰족하며 잎자루가 없고 밑부분은 갑자기 좁아져서 원줄기에 달리고 가장자리가 밋밋하며 세포가 반달 모양으로 선다. 꽃은 가지 끝에 1~2개가 밑을 향해 달리고 흰색이며 길이 15~18mm이고, 꽃잎은 6개이다. 열매는 장과로 지름 7mm 정도로 둥글고 검게 익는다.

나리꽃처럼 생겼으나 작아서 붙은 이름이다.

윤판나물(금윤판나물)

164

| 백합과 |

Disporum uniflorum Baker

개화기 4~6월(결실기 : 7~8월) | 분포 전국 산지

산지에 나는 여러해살이풀로 높이가 30~60cm이다. 땅속줄기가 짧고, 줄기가 곧게 서며 갈라진다. 잎은 어긋나고 긴 달걀형으로 끝이 뾰족하며 밑부분은 둥근 모양이다. 꽃은 황금색으로 줄기 끝에서 1~3송이가 밑을 향해 피며 통 모양을 이룬다. 열매는 장과로 긴 둥근형이며 검은색으로 익는다.

흰얼레지

165 | 백합과 |

얼레지(가재무릇)

Erythronium japonicum (Baker) Decne.

개화기 4월 | 분포 전국 높은 산지

높은 산 속에서 자생하는 여러해살이 풀로 10~20cm 높이로 자란다. 잎은 땅속 깊이 들어 있는 길쭉한 모양의 비늘줄기에서 2개씩 나와 수평으로 퍼지는데 타원형이고 가장자리가 밋밋하며 잎 표면에 자주색의 얼룩무늬가 있다. 꽃은 꽃줄기 끝에 밑을 보고 피고 분홍색이며, 꽃잎은 6장이고 밑에 W 무늬가 있으며 꽃이 피면 뒤로 말리고 밤이 되면 오므라든다. 열매는 삭과로 타원형이고 3줄로 골이 팬다.

비슷한 식물로 흰색 꽃이 피는 것을 흰얼레지(*E. japonicum* f. *album*)라고 한다.

중의무릇(반도중무릇)

166

| 백합과 |

Gagea lutea (L.) Ker-Gawl.

개화기 4월(결실기 : 5월) | 분포 중부지방 산지

산지에서 자라고 높이는 15~20cm 정도로 1개의 잎이 달린다. 비늘조각 모양의 땅속에 있는 짧은 줄기는 길이 1.5cm로 달걀형이고 갈색이다. 잎자루가 긴 것과 짧은 것이 있다. 끝에 3~10개의 꽃은 황색으로 산형이고 상단부에 두 장의 잎이 붙어 있는데 이것은 꽃봉오리를 보호하기 위한 포엽이다. 꽃은 볕을 쬐면 피고 어두운 곳에서는 오므린다. 열매는 삭과로 거의 둥글며 길이와 지름이 각각 7mm로 짧고 작으며 막질이고 3개의 능선이 있다.

167 | 백합과 |

처녀치마(치맛자락풀)

Heloniopsis koreana Fuse, N.S.Lee & M.N.Tamura

개화기 4월 | 분포 전국 산지

산지에서 자생하는 여러해살이풀로 10~15cm 높이로 자란다. 뿌리잎은 땅바닥에 방석처럼 펼쳐지고 거꾸로 된 피침형이며 광택이 있고 가운데에 굵은 잎맥이 있다. 꽃은 연한 보라색이고 고개를 숙이며 3~10개씩 모여 핀다. 열매는 삭과로 위를 향하며 3개의 능선이 있다.

꽃이 달린 모습이 치마 모양을 닮아서 붙은 이름이며 '치맛자락풀'이라고도 한다. 비슷한 식물인 숙은처녀치마(*H. tubifolia*)는 꽃이 땅을 바라보며 처녀치마에 비해 꽃대의 길이가 길고, 처녀치마 잎의 끝은 물결 모양의 결각이 있고 작은 톱니가 있으나 숙은 처녀치마는 고르며 끝이 밋밋하다.

각시원추리

원추리(넘나물)

168

| 백합과 |

Hemerocallis fulva (L.) L.

개화기 6~8월(결실기 : 8월) | 분포 전국 산야

산과 들의 풀밭에서 자생하는 여러해살이풀로 50~100cm 높이로 자란다. 누런 뿌리가 사방으로 뻗으며 타원형으로 굵어지는 덩이뿌리도 있다. 잎은 칼 모양으로 뿌리에서부터 서로 포개어져 마주나며 둥글게 휘어진다. 꽃은 꽃줄기 끝에 6~8개씩 달리는데 나팔형이고 주황색이며 옆을 보고 핀다. 열매는 삭과이다.

근심을 잊는다 하여 '망우초'라고도 하며 영어로는 꽃이 하루만 핀다 하여 Daylily라고 한다. 비슷한 식물인 각시원추리(*H. dumortieri*)는 지리산 노고단 부근이 원산지이며 우리나라 특산식물이다.

일월비비추

169
| 백합과 |

비비추

Hosta longipes (Franch. & Sav.) Matsum.

개화기 7~8월(결실기 : 8월) | 분포 남부, 중부지방 산지

산골짜기 냇가에서 자생하는 여러해살이풀로 30~40cm 높이로 자란다. 잎은 뿌리에서 모여나고 긴 타원형으로 물결 모양의 주름이 진다. 꽃은 연한 보라색이며 길쭉한 깔때기 모양이고 한쪽 방향을 보고 피며, 통꽃이나 6갈래로 갈라지고 그 사이로 수술과 암술이 길게 뻗어 나온다. 열매는 삭과로 피침형이고 익으면 3갈래로 갈라진다.

비슷한 식물인 일월비비추(*H. capitata*)는 포가 보트형이고 꽃봉오리일 때 끝부분이 둥글고 꽃이 끝에 모여 달린다.

중나리

털중나리(털종나리)

170

| 백합과 |

Lilium amabile Palib.

개화기 6~10월(결실기 : 9~10월) | 분포 전국 산야

산과 들에 나는 여러해살이풀로 높이 1m 내외이고, 전체에 털이 있으며, 비늘줄기는 긴 달걀형으로 곧게 선다. 잎은 피침형이고 잎자루가 없으며 끝이 뭉뚝하거나 날카롭다. 꽃은 황적색이고 줄기 끝에 1~5송이가 달리며, 꽃자루가 있고 뒤로 많이 젖혀지며 안쪽에 자주색 반점이 있다. 열매는 삭과로 달걀 모양의 넓은 타원형이며 세모지고, 씨는 갈색이다.

중나리(*L. leichtlinii* var. *maximowiczii*)에 비해 전체에 잔털이 있다.

171 참나리(나리)

| 백합과 |

Lilium lancifolium Thunb.

개화기 7~8월(결실기 : 8월) | 분포 전국 산야

산과 들에 자생하는 여러해살이풀로 1~1.5m 높이로 자란다. 줄기는 검은 자주색 점이 있다. 잎은 피침형으로 촘촘히 어긋나며, 잎겨드랑이에 까맣고 둥근 곁눈이 생기는데 떨어져 새로운 싹이 난다. 꽃은 주황색이고, 6장의 꽃잎은 뒤로 말리며 진한 자주색 반점이 있다. 열매를 거의 맺지 않는다.

나리 중에서 가장 크고 아름다우며 땅속줄기를 먹을 수도 있어 붙여진 이름이다. 꽃잎에 호랑반점이 있어 '호랑나리' 라고도 부른다.

하늘말나리(우산말나리)

172

| 백합과 |

Lilium tsingtauense Gilg

개화기 8~10월(결실기 : 11월) | 분포 전국 산지

산지에 나는 여러해살이풀로 높이가 1m까지 자란다. 비늘줄기는 지름 2~3cm로 둥근 달걀형이다. 잎은 줄기 중앙에 6~12개씩 돌려나고 창 모양이며 어긋나게 달리는 피침형의 잎도 있다. 1~3개씩 위를 향해 피는데 지름 4cm 정도이고 꽃잎은 주황색이며 자주색 반점이 있고 약간 뒤로 젖혀진다. 열매는 삭과로 원주형이고 길이가 2cm이며 3개로 갈라진다.

하늘을 보고 꽃이 핀다 하여 붙은 이름이다.

개맥문동

173 맥문동(넓은잎맥문동)

| 백합과 |

Liriope platyphylla F.T.Wang & T.Tang

개화기 5~6월(결실기 : 6월) | 분포 중부 이남 산지

산의 그늘진 곳에 자라는 여러해살이풀로 30~50cm 높이로 자란다. 뿌리 끝이 커져서 땅콩같이 된다. 잎은 짙은 녹색을 띠고 선형이며 밑부분이 잎집처럼 된다. 꽃은 총상꽃차례에 달리는데 보라색이며, 꽃잎은 6장이고 길이는 4mm 정도로 작다. 열매는 둥글고 가을에 검은 자주색으로 익는다.

겨울에도 푸른 잎이 죽지 않고 살아 있다 하여 '겨우살이풀'이라 한다. 비슷한 식물인 개맥문동(*L. spicata*)은 잎의 너비가 4~7mm로 보다 좁고 옆으로 뻗어가는 가지가 있으며 꽃은 연한 보라색으로 다소 성글게 달린다.

두루미꽃(좀두루미꽃)

174

| 백합과 |

Maianthemum bifolium (L.) F.W.Schmidt

개화기 6월(결실기 : 8~9월) | 분포 전국 산야

높은 산의 숲속에 나는 여러해살이풀로 높이가 8~15cm이다. 땅속줄기는 옆으로 길게 뻗고, 줄기에 털이 없거나 돌기 모양의 털이 있다. 잎은 2~3장이 어긋나고 삼각 모양의 심장형이며 뒷면 맥 위에 돌기 모양의 털이 있고, 가장자리에 삼각형의 돌기가 있으며 잎자루가 있다. 꽃은 흰색으로 총상꽃차례이며 20개 정도 달린다. 열매는 둥글고 붉게 익는다.

두루미꽃은 줄기와 잎 뒤에 선털이 있고 잎가장자리에 잔톱니가 있지만, 큰두루미꽃(*M. dilatatum*)은 줄기와 잎 뒤에 선털이 없고 잎가장자리에 반원형의 작은 돌기가 있다.

175 | 백합과 | 삿갓나물(만주삿갓나물)

Paris verticillata M.Bieb.

개화기 5~7월(결실기 : 9~10월) | 분포 전국 산지

산지에 나는 여러해살이풀로 땅속줄기는 길고, 땅위줄기는 높이 30cm 가량 된다. 잎은 피침형으로 좁고 긴 타원형이며 줄기 끝에 6~8장이 돌려서 나고 양 끝이 뾰족하다. 꽃은 돌려나는 잎의 중앙에서 나온 꽃줄기 끝에 1송이가 위를 향해 피고, 외화피는 피침형으로 4~5장이 꽃받침 모양으로 퍼지고, 안에 선형의 수술이 8~10개가 붙는다. 열매는 삭과로 둥근 모양이다.

둥굴레(맥도둥글레)

176 | 백합과 |

Polygonatum odoratum var. *pluriflorum* (Miq.) Ohwi

개화기 5~6월(결실기 : 6월) | 분포 전국 산야

산과 들의 양지바른 곳에서 자생하는 여러해살이풀로 30~70cm 높이로 자란다. 줄기는 윗부분이 휘어진다. 잎은 줄기 양쪽으로 어긋나고 긴 타원형이며 잎자루가 없다. 꽃은 잎겨드랑이에 1~2개씩 달리며 종 모양이고 흰빛이 나는 녹색이다. 열매는 9~10월에 검은색으로 익는다.

잎 끝에서 둥글게 모이는 잎맥 때문에 붙여진 이름이며, 잎이 아름다워 '옥죽'으로 불리기도 한다. 땅속줄기를 약으로 쓰고 차를 달여 마신다. 비슷한 식물인 각시둥굴레(*P. humile*)는 잎이 작고 가늘며 가장자리가 까끌거리고 줄기가 바로 선다.

177 | 백합과 | 풀솜대(솜대)

Smilacina japonica A.Gray

개화기 5~7월(결실기 : 9월) | 분포 전국 산지

산의 숲속 그늘 밑에 나는 여러해살이풀로 높이는 20~50cm이다. 전체에 거친 털이 나며, 땅위줄기는 위쪽으로 올라갈수록 비스듬히 자라고 털도 많아진다. 잎은 어긋나고 5~7장이 2줄로 배열되며, 긴 타원형으로 끝이 뾰족하고, 밑은 둥근 모양이며 양면에 털이 있고, 잎자루는 짧거나 없으며, 줄기의 밑부분은 3개 가량의 막질로 된 포에 둘러싸인다. 꽃은 양성화로 흰색이며, 겹총상꽃차례이다. 열매는 장과로 둥근 모양이며 붉은색으로 익는다.

뻐꾹나리

178

| 백합과 |

Tricyrtis macropoda Miq.

개화기 7~8월(결실기 : 9월) | 분포 경기도 이남 산지

산지의 숲에 나는 여러해살이풀로 높이는 50cm이다. 잎은 어긋나고 긴 타원형 또는 거꿀달걀 모양 타원형으로 끝이 뾰족하며 밑부분은 줄기를 감싼다. 꽃은 줄기나 잎겨드랑이, 가지 끝에 산방꽃차례로 달린다. 꽃자루에 짧은 털이 밀생하고 화피는 흰색에 자주색 반점이 있으며 6장으로 겉에 털이 있다. 외화피는 넓은 달걀형으로 밑에 돌기가 있고, 내화피는 피침형이다. 열매는 삭과로 피침형이다.

**

희귀식물이다.

179 | 백합과 | 큰연영초(흰삿갓풀)

Trillium tschonoskii Maxim.

개화기 5월(결실기 : 6월) | 분포 중부 이북, 울릉도

산지에 자라고 높이는 30cm 정도이다. 원줄기는 1~3개이고 끝에 3개의 잎이 돌려난다. 잎은 달걀 모양의 원형이고 길이와 폭이 각각 7~17cm로 3~5맥과 그물맥이 있으며 끝이 뾰족하다. 꽃은 흰색 또는 분홍색으로 꽃받침은 3개이다. 열매는 장과로 달걀 모양으로 둥글고 지름은 15mm정도로 녹색이다.

희귀식물이며, 큰연영초는 꽃받침잎과 꽃잎의 끝이 뾰족하고 꽃자루는 길이 2~3cm이지만 연영초(*T. kamtschaticum*)는 꽃받침잎과 꽃잎의 끝이 둔하고 꽃자루의 길이가 4~6cm이다.

산자고(까치무릇)

180

| 백합과 |

Tulipa edulis (Miq.) Baker

개화기 4~5월(결실기 : 5월) | **분포** 중부 이남 산지

산지의 양지바른 풀밭에서 자생하는 여러해살이풀로 15~25cm 높이로 자란다. 잎은 뿌리에서 나오며 선형으로 끝이 뾰족하게 2장씩 달리고 가장자리가 밋밋하며 흰빛이 돈다. 꽃은 꽃줄기 끝에 흰 꽃이 1개씩 위를 향해 피며 꽃잎은 6장이고 가느다란 보라색 줄이 나 있고 안쪽은 노란색이다. 열매는 둥글며 세모지다. 여름이 되면 땅 위에 있는 부분은 모두 말라 죽는다.

181 여로

| 백합과 |

Veratrum maackii var. *japonicum* (Baker) T.Shimizu

개화기 7~8월(결실기 : 8월) | 분포 전국 산야

깊은 산 습지에 나는 여러해살이풀로 높이는 40~60cm이고, 꽃차례와 줄기에 돌기 같은 털이 난다. 잎은 어긋나고 좁은 피침형이다. 꽃은 밑부분에 수꽃, 윗부분에 양성화가 달리고 지름은 1cm이며 자줏빛이 도는 갈색이다. 열매는 삭과이고 길이 12~15mm 정도의 3줄이 있다. 끝에 암술대가 수평하다.

약용식물이나 독성이 매우 강하다.

박새(꽃박새)

182

| 백합과 |

Veratrum oxysepalum Turcz.

개화기 6~7월(결실기 : 8~9월) | 분포 전국 산야

깊은 산야의 그늘진 곳에 나는 여러해살이풀로, 뿌리줄기는 굵고 짧으며 높이는 1.5m로 속이 비어 있고 원주형이다. 잎은 어긋나고, 밑부분의 것은 잎집만으로 원줄기를 둘러싸며 중앙부의 것은 넓은 타원형이고 세로로 주름이 진다. 꽃은 연한 황백색으로 원추꽃차례이다. 열매는 삭과로 달걀형이며 길이는 2cm이다.

독성이 있는 식물로 산에서 잘못 먹으면 문제가 되는 식물이니 주의해야 한다.

석산

183 진노랑상사화(개상사화)

| 수선화과 |

Lycoris chinensis var. *sinuolata* K.H.Tae & S.T.Ko

개화기 9월 | 분포 전라도

산지에 자라고 높이는 30~37cm 정도이며, 짧은 줄기 둘레에 많은 양분이 있는 두꺼운 잎이 촘촘히 나는 비늘줄기이다. 잎은 녹색으로 털이 없으며 2월 말~5월까지 4~8장이 나온다. 꽃은 짙은 노란색으로 4~7송이가 피며 꽃잎 가장자리는 구불거린다. 잎이 변형된 포는 주걱 모양이고 2개이다. 수술대와 암술대는 모두 노란색이다. 종자는 검은 색이다.

특산식물, 희귀식물이며, 비슷한 식물인 석산(*L. radiata*)은 꽃이 붉은색이다.

범부채(사간)

184

| 붓꽃과 |

Belamcanda chinensis (L.) DC.

개화기 7~8월(결실기 : 9~10월) | **분포** 전국 산지

산에 자라는 여러해살이풀로 높이는 50~100cm이고, 뿌리줄기가 발달한다. 잎은 겹쳐나고 길이는 30~50cm이며 좌우로 편평하고 2줄로 부챗살처럼 배열되며 밑동은 줄기를 감싼다. 꽃은 노란빛을 띤 붉은색 바탕에 검은 자주색의 짙은 반점이 많고, 여러 송이가 가지 끝에 취산꽃차례로 늘어선다. 열매는 삭과로 거꿀달걀형이며, 종자는 검은색이고 윤채가 난다.

꽃잎에 범의 무늬가 있고 잎은 부채처럼 포개어져 펼쳐나 붙은 이름이다.

노랑꽃창포

185 꽃창포(꽃장포)

| 붓꽃과 |

Iris ensata var. *spontanea* (Makino) Nakai

개화기 6~7월(결실기 : 8월) | 분포 전국 산야 습지

**

산과 들의 습지나 물가에서 자생하는 여러해살이풀로 60~120cm 높이로 자란다. 잎은 어긋나고 칼 모양으로 줄기 밑부분에서 2줄로 얼싸안으며 잎 가운데에는 잎맥이 뚜렷하게 돋아 있다. 꽃은 보라색이며, 옆으로 펼쳐지는 꽃잎 가운데 노란색 무늬가 있다. 열매는 삭과로 길이 2.5~3cm이고 갈색이며 뒤쪽에서 터진다.

창포처럼 물가에서 피고 꽃이 아름다워 붙여진 이름이다. 비슷한 식물인 노랑꽃창포(*I. pseudoacorus*)는 꽃줄기가 3~4회 갈라진 후 그 끝에 꽃이 달린다. 꽃이 노란색이고 갈색 줄무늬가 있다.

금붓꽃(누른붓꽃)

186

| 붓꽃과 |

Iris minutoaurea Makino

개화기 4~5월(결실기 : 6~7월) | **분포** 전국 산야

양지에 자라는 여러해살이풀로 높이는 15cm 내외 된다. 땅속줄기는 옆으로 뻗고 노란색이다. 꽃은 노란색이고 보통 1송이가 줄기 끝에 달리며 긴 거꿀 달걀형 또는 주걱 모양으로 씨방은 삼각형이다. 열매는 삭과로 세모지다.

비슷한 식물인 노랑붓꽃(*I. koreana*)은 꽃이 두개씩 달리는 특징으로 구별하며 특산, 희귀식물이다.

187 각시붓꽃(산난초)

| 붓꽃과 |

Iris rossii Baker

개화기 4~5월(결실기 : 6~7월) | 분포 전국 산야

산과 들에 나는 여러해살이풀로 높이는 10~30cm이며, 뿌리줄기와 수염뿌리가 발달하고, 뿌리줄기는 다소 모여 달리며 갈색 섬유이다. 잎은 꽃이 진 다음에 자라고 주맥이 뚜렷하지 않으며 뒷면은 분백색이다. 꽃은 자주색이며 가장 위의 포에서 한 송이씩 피고, 포는 4~5장이다. 열매는 삭과로 둥근 모양이며, 암술대는 3개로 갈라지고 다시 2개씩 갈라진다.

붓꽃(란초)

188

| 붓꽃과 |

Iris sangainea Donn ex Horn

개화기 5~6월 | 분포 전국 산야

산과 들의 풀밭에서 자생하는 여러해살이풀로 30~60cm 높이로 자란다. 줄기는 곧게 서며 밑부분은 적갈색 섬유로 덮여 있다. 잎은 칼 모양으로 줄기 밑부분에서 겹쳐서 모여 나는데 밑부분이 줄기를 감싼다. 꽃은 줄기 끝에 2~3개 달리고 보라색이며 바깥쪽 꽃잎에는 노란색 바탕에 자주색 그물 무늬가 있다. 열매는 삭과로 대가 있고 4cm 정도이며 3개의 능선이 있다.

꽃봉오리의 모습이 먹을 찍은 붓과 닮아서 붙여진 이름이다. 비슷한 식물인 꽃창포(*I. ensata* var. *spontanea*)는 잎에 주맥이 있고 꽃줄기는 속이 비지 않고 꽃잎에 돌기가 없으며 진한 보라색이다.

189 골풀(등심초)

| 골풀과 |

Juncus effusus var. *decipiens* Buchenau

개화기 5~6월(결실기 : 7~8월) | 분포 전국 산야

들의 습지에 나는 여러해살이풀로 높이는 25~100cm이다. 줄기는 원추형이며 뚜렷하지 않은 세로줄이 있다. 잎은 비늘 같고, 꽃은 1개씩 달리며, 녹갈색이다. 열매는 삭과로 달걀형 또는 거꿀달걀형이며 길이가 2~3mm이고 갈색이 돌며, 종자는 길이 0.5mm이다.

물고기를 꾀거나, 강화도에서 돗자리를 만들 때 쓰는데 '등메'나 '잔골'이라 부른다.

참억새

억새(자주억새) 190

| 벼과 |

Miscanthus sinensis var. *purpurascens* (Andersson) Rendle

개화기 9월 | 분포 전국 산야

저지대에서 고지대까지 분포하는 여러해살이풀로, 줄기는 많이 올라오고 뿌리줄기는 굵고 짧으며 옆으로 뻗는다. 잎은 선형으로 길이 1m이고 가장자리의 잔톱니가 딱딱하며 밑부분이 원줄기를 완전히 둘러싸고 잎집에 털이 없거나 긴 털이 있다. 꽃이삭은 길이 20~30cm이고 중심축이 전체 꽃차례 길이의 1/2 이하이다. 작은이삭 까락은 길이 8~15mm이고 밑부분 털의 길이와 비슷하다.

비슷한 식물인 참억새(*M. sinensis*)는 작은이삭에 까락이 있으며 밑부분 털이 흰색 또는 연한 자주색이다.

191 주름조개풀(명들내)

| 벼과 |

Oplismenus undulatifolius (Ard.) P.Beauv.

개화기 8~10월(결실기 : 10월) | 분포 전국 산야

산이나 들의 나무 그늘 밑에 나는 여러해살이풀로 밑부분이 옆으로 뻗고, 높이가 10~30cm이다. 줄기는 기고, 밑동에서 가지를 치며, 잎은 피침형이고, 잎혀(엽설)는 짧으며 강모가 있다. 원추꽃차례로 짧은 가지가 있고, 이삭자루와 화축에 긴 털이 있으며, 낱꽃은 2송이고 단성화로 약간 딱딱하고 밋밋하며 광택이 난다.

잎에 주름이 져서 붙은 이름이다.

청수크령

수크령(길갱이)

192

| 벼과 |

Pennisetum alopecuroides (L.) Spreng.

개화기 8~9월(결실기 : 9~10월) | 분포 전국 산야

들이나 둑의 양지바른 곳에 흔히 나는 여러해살이풀로 높이는 30~90cm이고, 줄기는 곧게 서며 윗부분에 흰털이 있고 흰 가루를 쓴 것 같으며, 잎혀(엽설)는 매우 짧고, 짧은 털이 난다. 이삭꽃차례 모양으로 원통형이며, 검은 자주색으로 작은 이삭 1개와 여러 개의 녹색에서 붉은 보라색의 강모형 총포모에 싸인다.

비슷한 식물인 청수크령(*P. alopecuroides* var. *viridescens*)은 꽃차례가 청색을 띤다.

193 갈대(갈)

| 벼과 |

Phragmites communis Trin.

개화기 8~9월(결실기 : 10월) | 분포 전국 산야

강 입구 또는 물기가 많은 곳에 나는 여러해살이풀로 높이는 1~3m이다. 잎은 긴 피침형이고, 잎혀(엽설)는 섬유 모양으로 잘게 갈라지며 개방원추꽃차례로 소수는 2~4개의 소화를 가지며, 긴 털이 있고, 호영은 길이가 다르며 3맥이고, 호영의 기반은 뾰족하며, 첫째 소화는 수꽃이다. 내영은 외영보다 훨씬 짧고, 암꽃의 외영은 3맥으로 끝이 뾰족하며, 수꽃의 외영보다 얇고 좁다.

천남성(가새천남성)

194

| 천남성과 |

Arisaema amurense f. *serratum* (Nakai) Kitagausa

개화기 5~7월(결실기 : 9월) | 분포 전국 산지

산지에서 자라는 여러해살이풀로 높이 15~50cm로 외대로 자라며 굵고 육질이다. 줄기는 녹색이고 때로 자주색 반점이 있다. 잎은 1개이며 3~5개의 작은잎이 손바닥 모양으로 달리고 달걀형이며 가장자리에 톱니가 있다. 꽃은 단성화이며, 포의 통부는 녹색이고 윗부분이 앞으로 구부러진다. 육수꽃차례 윗부분은 대개 곤봉 모양이다. 열매는 장과로 옥수수처럼 달리고 붉은색으로 익는다.

비슷한 식물인 점박이천남성(*A. peninsulae*)은 줄기에 점이 많고, 잎이 2장이며 작은잎이 6개 이상으로 더 많고 육수꽃차례의 끝이 뾰족하다.

195 | 천남성과 | 앉은부채(산부채풀)

Symplocarpus renifolius Schott ex Miq.

개화기 3~5월(결실기 : 5월) | 분포 전국 산지

산골짜기의 습기가 많은 응달에서 자생하는 여러해살이풀이다. 잎은 길이 30~40cm 정도로 부채처럼 크고 둥글넓적하며, 잎자루가 길다. 꽃은 잎보다 먼저 피고 자갈색 얼룩무늬가 있는 타원형의 꽃덮개 속에 방망이 모양의 꽃이삭이 들어 있다. 열매는 옥수수 열매를 닮았으며 가을에 붉은색으로 익는다.

부채 같은 넓은 잎이 원줄기 없이 바닥에 달려 붙여진 이름이다. 독성이 매우 강하다.

새우난초(새우란)

196

| 난초과 |

Calanthe discolor Lindl.

개화기 4~5월(결실기 : 5월) | 분포 충남, 제주도

뿌리줄기는 포복성으로 마디가 많고 염주형이며 수염뿌리가 다수 있다. 잎은 첫 해에는 2~3개가 다발로 자라지만 다음해에는 옆으로 늘어지고 도피침상 긴 타원형으로 양 끝이 좁고 잎밑이 날카로우며 끝은 뭉툭하거나 날카롭다. 꽃은 자방과 더불어 짧은 털이 있으며, 1~2개의 비늘 같은 잎이 달리고, 10여 개의 꽃이 길이 15cm 정도에 걸쳐서 총상꽃차례로 달린다. 열매는 삭과이고 밑으로 처진다.

비슷한 식물인 금새우난초(*C. discolor* f. *sieboldii*)는 꽃이 노란색 또는 노란색이 돌고, 꽃받침의 색도 노란색이며 입술꽃부리는 옅은 노란색이고 3개로 갈라진다.

197 | 난초과 | 은대난초(은대란)

Cephalanthera longibracteata Blume

개화기 5~6월(결실기 : 6월) | 분포 전국 산지

산지에 자라는 여러해살이풀로 높이는 30~50cm이다. 꽃은 은난초와 닮았으나, 잎은 6~8개이고 넓은 피침형이며 밑부분이 초상엽이다. 꽃은 흰색으로 퍼지지 않고, 꽃차례 밑의 포가 꽃차례보다 긴 점이 다르며, 포는 넓은 선형으로 밑에 달려 있는 1~2개는 잎 같고 원줄기보다 길다. 꽃받침잎은 끝이 좀 뾰족하고 꽃잎이 짧다.

잎은 긴 타원형으로 잎의 뒷면과 가장자리, 꽃차례와 씨방에 털 같은 흰 돌기가 있는 것이 은난초(*C. erecta*)와 다르다. 비슷한 식물인 은난초(*C. erecta*)는 잎 뒷면과 가장자리, 꽃차례와 씨방에 털 같은 흰 돌기가 없다

보춘화(춘란)

198 | 난초과 |

Cymbidium goeringii (Rchb.f.) Rchb.f.

개화기 3~4월(결실기 : 4월) | **분포** 중부 이남 산지

여러해살이풀로 줄기가 짧다. 잎은 뿌리에서 모여 자라며 길이는 20~50cm이고 폭은 6~10mm로 끝이 뾰족하고 가장자리에 미세한 톱니가 있으며, 뒤로 젖혀져 구부러진다. 꽃은 연한 황록색이며, 꽃자루는 막질로 싸여 있고 끝에 1개의 꽃이 달리며, 포는 초상엽과 비슷하지만 초가 없고 피침형이며 끝이 둔하다. 열매는 곧게 서며 길이 5cm 정도로 아래로 갈수록 가늘어지고 길이 5~6cm의 대가 있다.

199 | 난초과 | 복주머니란(개불알꽃)

Cypripedium macranthon Sw.

개화기 5~7월(결실기 : 7월) | 분포 전국 산지

산의 숲속이나 풀밭에서 자생하는 여러해살이풀로 25~40cm 높이로 자란다. 줄기에 털이 있다. 잎은 긴 타원형이며 3~5개 정도 달리고 밑부분은 잎집이 되어 줄기를 감싼다. 꽃은 줄기 끝에 달리고 길이는 4~7cm 정도이며, 아래 꽃잎이 주머니형이고 분홍색이다. 열매는 긴 피침형이다.

희귀식물로, 꽃의 모양이 개의 불알 같기도 하고 복주머니 같기도 하기 때문에 붙여진 이름이다. 비슷한 식물인 광릉요강꽃(*C. japonicum*)은 잎이 2장 마주나며 부채형이고 꽃은 2.5~3cm이다.

타래난초(타래란)

200

| 난초과 |

Spiranthes sinensis (Pers.) Ames

개화기 5~8월(결실기 : 9월) | 분포 전국 산야

산이나 들에서 자라고 높이는 10~40cm이며 줄기는 곧게 선다. 큰 뿌리에서 나오는 잎은 길이가 5~20cm로 주맥이 들어가고 밑부분이 짧은 초로 되며 줄기잎은 피침형이고 끝이 뾰족하다. 꽃은 분홍색이며 나선형으로 꼬인 수상화서에 작은꽃이 다수 옆을 향해 달린다. 열매는 삭과로 타원형이고 곧추서며 잔털이 있고 길이는 5~7mm이다.

국명* 찾아보기

굵게 표시한 것은 이 책에 들어간 주요식물이며
가늘게 표시한 것은 주요식물과 비슷한 식물입니다.

학명 * 찾아보기

굵게 표시한 것은 이 책에 들어간 주요식물이며
가늘게 표시한 것은 주요식물과 비슷한 식물입니다.

수목원, 산림박물관* 안내

* 수목원 (14개소)

명　칭	위　치	전화번호
홍　릉	서울. 동대문. 청량리동	(02) 961-2871
국　립	경기. 포천. 소흘. 직동	(031) 540-1114
물 향 기	경기 오산 수청	(031) 378-1261
대　구	대구. 달서. 대곡	(053) 642-4100
한　밭	대전. 서. 만년	(042) 472-4976
강원도립화목원	강원. 춘천. 사농동	(033) 243-6012
미 동 산	충북. 청원. 미원. 미원	(043) 220-5584
금　강	충남. 공주. 반포. 도남	(041) 850-2631
대　아	전북. 완주. 동상. 대아	(063) 243-1951
완　도	전남. 완도. 군외. 대문	(061) 552-1544
내 연 산	경북. 포항. 북. 죽장. 상옥	(054) 262-6110
가야산야생화식물원	경북. 성주. 수륜. 백운	(054) 931-1264
경상남도	경남. 진주. 이반성. 대천	(055) 771-6541
한　라	제주. 제주. 연동	(064) 746-4423

* 산림박물관 (9개소)

명　칭	위　치	전화번호
대　구	대구. 달서. 대곡	(053) 429-3576
경　기	경기. 오산. 수청	(031) 249-4562
광　릉	경기. 포천. 소흘. 직동	(031) 540-1033
춘　천	강원. 춘천. 사농동	(033) 243-6012
공　주	충남. 공주. 반포. 도남	(041) 850-2662
충청북도	충북. 청원. 미원. 미원	(043) 220-5592
순　창	전북. 순창. 복흥. 서마	(063) 280-2664
경상북도	경북. 안동. 도산. 동부	(054) 855-8681
경상남도	경남. 진주. 이반성. 대천	(055) 771-6500

생명과 역사가 어우러진 아름다운 터전

국립수목원* Korea National Arboretum

* 미래를 위한 인내와 저축

현재 국립수목원은 주말과 공휴일에 개방을 제한하고 예약제를 통하여 1일 입장객을 5,000명 이하로 한정하고 있습니다. 이는 날로 높아가는 개발압력에 대하여 광릉숲의 보존이 무엇보다도 중요한 과제로 제시되어, 적극적인 보호방안으로 실시하는 것입니다.
주말개방을 통해 얻을 수 있는 잠깐 동안의 즐거움보다는 다소 불만족스럽더라도 미래를 위해 숲을 보존하고 생물다양성 보전에 동참한다는 생각으로 양해해 주시기 바랍니다.

* 국립수목원 방문안내

개 방 일 : 매주 화요일~토요일 (개원일과 겹친 공휴일은 개방)
개방시간 : 4월~10월 09:00~18:00 11월~3월 09:00~17:00
방문예약 : 홈페이지 http://www.kna.go.kr 전화 031) 540-2000 (방문전 예약제 운영)
입 장 료 : 어른 1,000원 / 청소년(만13세~만19세) 700원 / 어린이(만7세~만12세) 500원
무료(만65세 이상, 만6세 이하 및 장애인, 유공자-신분증 지참) 단체할인없음
주 차 료 : 버스(대형) 5,000원/일 소형차 3,000원/일 경차 1,500원/일

* 관람객 주의사항

수목원 안에는 음료수 외의 음식물을 파는 곳이 없으며, 대신 간단한 도시락을 가져올 수 있고 지정된 장소에서 식사가 가능합니다. 이밖에도 애완동물, 식물 · 곤충 채집도구, 자전거, 운동기구(공, 라켓 등), 알콜 음료(주류), 쓰레기가 많이 생기는 음식물(수박 등의 과일)을 가지고 들어갈 수 없습니다.
수목원 안에는 출입을 제한하는 곳이 많습니다. 광릉숲의 생물다양성을 보전하고 관람객의 안전을 위한 것이니, 관람은 출입이 가능한 공간에서만 해야 합니다.
또한 전시원에 식재된 식물이나 전시시설물을 훼손해서는 안 되며, 경계를 뛰어넘거나 다른 관람객의 통행을 방해하거나 다른 피해를 주는 행위(카메라 삼각대 설치, 고성방가, 기도 등 종교 행위)도 삼가해야 합니다.

우리 산에서 만나는 풀 200가지
200 Herbs of Forest in Korea

초판 1쇄 발행 2010년 8월 25일
초판 7쇄 발행 2017년 3월 30일

지은이 국립수목원
집필 조동광, 이유미, 황희숙, 양종철
편집기획 이유미, 박수현, 정수영, 양형호, 이강협

펴낸곳 지오북(**GEO**BOOK)
펴낸이 황영심
편집 전유경, 김민정
디자인 김길례

주소 서울시 종로구 사직로8길 34, 오피스텔 1321호
(내수동 경희궁의아침 3단지)
Tel_ 02-732-0337
Fax_ 02-732-9337
eMail_ book@geobook.co.kr
www.geobook.co.kr

출판등록번호 제300-2003-211
출판등록일 2003년 11월 27일

ISBN 978-89-94242-06-4 06480